Reading & Interpretation

大家写小书·马恩经典著作新读

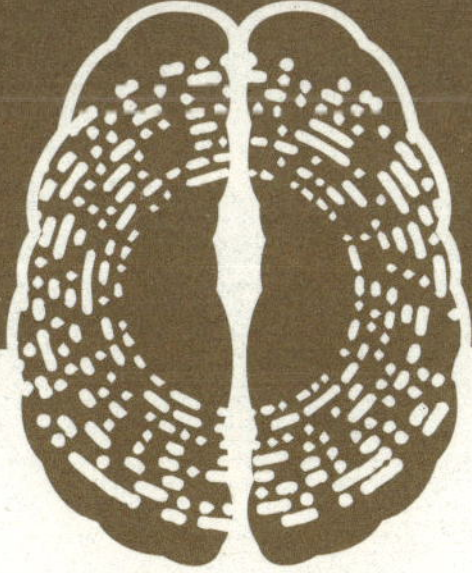

丛书主编 董振华

“国家之谜”解答的开启之作

《黑格尔法哲学批判》新读

张彦 著

红旗出版社

图书在版编目(CIP)数据

"国家之谜"解答的开启之作 :《黑格尔法哲学批判》新读 / 张彦著. —北京 : 红旗出版社, 2021.10
(大家写小书 / 董振华主编. 马恩经典著作新读)
ISBN 978-7-5051-5256-4

Ⅰ.①国… Ⅱ.①张… Ⅲ.①黑格尔(Hegel,Georg Wehelm 1770-1831) - 法哲学 - 马恩著作研究 Ⅳ.① A811.21

中国版本图书馆CIP数据核字(2021)第073968号

书　　名　"国家之谜"解答的开启之作
《黑格尔法哲学批判》新读
著　　者　张　彦

责任编辑　丁　鋆　　　丛书统筹　丁　鋆
责任印务　金　硕　　　装帧设计　戴　影
责任检校　沈云才
出版发行　红旗出版社
地　　址　北京市沙滩北街2号　　　邮政编码　100727
　　　　　杭州市体育场路178号　　邮政编码　310039
编 辑 部　0571-85310806
E - mail　rucdj@163.com　　　发 行 部　0571-85311330
图文排版　杭州兴邦电子印务有限公司
印　　刷　杭州广育多莉印刷有限公司
开　　本　889毫米×1194毫米　1/32
字　　数　69千字　　　印　　张　3.25
版　　次　2021年10月第1版　　　印　　次　2021年10月第1次印刷
ISBN 978-7-5051-5256-4　　　定　　价　20.00元

把读马克思主义经典当作生活习惯

（丛书序）

习近平总书记在纪念马克思诞辰200周年大会上的讲话中强调："共产党人要把读马克思主义经典、悟马克思主义原理当作一种生活习惯、当作一种精神追求，用经典涵养正气、淬炼思想、升华境界、指导实践。"这说明，阅读马克思主义经典著作对于广大党员干部树立正确的世界观、人生观和价值观，从而以科学的世界观和方法论分析问题、解决问题和推动工作，具有重大的意义。

一、通过阅读马克思主义经典，感悟马克思主义经典作家的崇高价值追求，不断升华思想境界

人的自然生命总是有限的，作为自然的人，历史上的伟人不可能再对我们耳提面命，但是，他们的灵魂不朽，作为我们的精神导师，他们可以穿越时空对我们谆谆教诲。我们和伟人对话的方式，就是阅读他们撰写的经典，去感悟经典中所承载的不朽灵魂和伟大人格。马克思主义经典作家虽然已经远去，但是他们的精神和思想是不朽的，通过他们所创造的事业而生生不息，通过他们的经典著作而天长地久。正如《道德经》所言："不失其所者久，死而不亡者寿。"我们通过反复阅读马克思主义经典作家留下的经典著作，和他们心灵共鸣、灵魂

共振，接受马克思主义智慧和道义的滋养，不断升华思想境界，走向崇高，活出生命的意义和价值。

马克思主义经典作家作为人类解放的“盗火者”，为了给人类带来光明，历尽千辛万苦，仍然不屈不挠，奋斗不息，成就了伟大的人生。马克思在参加中学毕业考试的时候写下的作文《青年在选择职业时的考虑》中指出：“如果我们选择了最能为人类而工作的职业，那么，重担就不能把我们压倒，因为这是为大家作出的牺牲；那时我们所享受的就不是可怜的、有限的、自私的乐趣，我们的幸福将属于千百万人，我们的事业将悄然无声地存在下去，但是它会永远发挥作用，而面对我们的骨灰，高尚的人们将洒下热泪。”①从马克思的这篇作文中，我们可以强烈地感受到他伟大的人格和崇高的价值追求，能够明白什么样的生命才是有意义和价值的，才能够坚定理想信念，升华精神境界。马克思的生命实践充分彰显了伟人的灵魂和精神价值，也成就了马克思光辉的人生，受到了人们的普遍敬仰和尊敬。

正如习近平总书记在纪念马克思诞辰200周年大会上的讲话中所指出的：“马克思的一生，是胸怀崇高理想、为人类解放不懈奋斗的一生。”“马克思一生饱尝颠沛流离的艰辛、贫病交加的煎熬，但他初心不改、矢志不渝，为人类解放的崇高理想而不懈奋斗，成就了伟大人生。”

①《马克思恩格斯全集》第1卷，人民出版社1995年版，第459—460页。

二、通过阅读马克思主义经典，学习马克思主义经典严谨的论证逻辑，掌握科学思想方法

一个理论如果缺乏严密的逻辑论证，要么是停留于空洞无物的无病呻吟，要么是停留于盲目自大的独断空论，这是苍白无力的，是不能够让人真服真信的。我们通过阅读马克思主义经典，可以得出这样的深切感受：他们不是高高在上向人们颁布真理，而是通过铁的逻辑一步步严谨论证，最终的结论是自然而然在字里行间得出并呈现给读者，从而能够说服人、打动人、鼓舞人，让人们真懂真信真用，这是逻辑的力量！

我们阅读《共产党宣言》就能够强烈感受到这种逻辑的力量。马克思、恩格斯站在历史唯物主义的客观立场，对资本主义及其繁荣的景象进行了绘声绘色的描绘，对资本主义制度的历史贡献和历史合理性进行了充分肯定。在充分肯定的基础上，却得出了彻底否定的结论。这里所运用的逻辑就是辩证法。根据辩证法的逻辑，“辩证法在对现存事物的肯定的理解中同时包含对现存事物的否定的理解”，资本主义造就了如此巨大的生产力，极大地推动了历史的发展和社会的进步，但是，这也恰恰是资本主义必然要退出历史舞台的内在原因。因此，资本主义的合理性只是历史的合理性，也就是说，这只是有一定的前提和界限的合理性，只是在人类历史进程中的某一阶段具有合理性，超过了这个阶段必然丧失合理性。为此，《共产党宣言》指出：“资产阶级用来推翻封建制度的武器，

现在却对准资产阶级自己了。”[①]“资产阶级的关系已经太狭窄了，再容纳不了它本身所造成的财富了。”[②]因此，资本主义和资产阶级应该灭亡了，也必然会灭亡，“资产阶级的灭亡和无产阶级的胜利是同样不可避免的”[③]。资本主义必然灭亡，但是，这并不意味着它会自动灭亡，“共产党人不屑于隐瞒自己的观点和意图。他们公开宣布：他们的目的只有用暴力推翻全部现存的社会制度才能达到”[④]。

由此我们可以看到，无产阶级必须通过革命手段实现人类解放的根本价值追求，这一科学结论不正是在辩证法严密逻辑的基础上经过充分论证而得出来的吗？我们阅读马克思主义经典，就要学习这样的科学思想方法，在理论宣传和群众工作中力求做到言之有理、持之有故、以理服人，才能够让人们真信、真服，从而用科学的理论和崇高的价值说服人、凝聚人。

三、通过阅读马克思主义经典，体悟马克思主义经典蕴含的强烈问题意识，善于聆听时代声音

马克思主义经典作家撰写著作，并不是为了学术上的建树和理论上的兴趣，而是为了人类解放这一根本价值主题，针对时代问题而撰写的，因此，马克思主义经典著作蕴含着深刻的问题意识。我们阅读马克思主义经典著作，就必须深入到

---

①《共产党宣言》，人民出版社2018年版，第34页。
②《共产党宣言》，人民出版社2018年版，第33页。
③《共产党宣言》，人民出版社2018年版，第40页。
④《共产党宣言》，人民出版社2018年版，第65页。

这些著作撰写时的历史语境中，用强烈的问题意识把握这些经典著作所针对的时代问题，否则就容易陷入教条主义，至多成为一个只会夸夸其谈的“理论家”。

每个时代都有属于自己的时代问题，牢牢抓住这个时代问题，用强烈的问题意识准确地把握时代问题的本质，并找到解决时代问题的价值选择和理性方法，这是马克思主义经典作家在进行经典创作的时候的出发点。我们在阅读马克思主义经典的时候，应当通过回到当时的时代语境，进行视界融合，体悟当时人类现实生活的生存境遇、价值诉求等层面凸显出来的矛盾与问题，去学习马克思主义经典作家对这些时代问题进行深度研究、审视与批判所运用的逻辑和方法，映照当今的时代问题，从而得到启发和方向。

各级领导干部阅读马克思主义经典著作要在思想与时代问题的互动对话中完成，就必须把握时代脉搏，强化问题意识，正确审视当代社会发展中的问题与困境。马克思主义的基本原理为我们的实践活动提供了总的指导思想、根本原则和根本方法，但是，它没有提供解决问题的现成答案，必须由我们自己在坚持马克思主义立场、观点、方法的基础上，创造性地探索和解决这些问题。

毋庸置疑，广大党员干部对于阅读马克思主义经典的重要性基本形成了一种共识，但是面对纷繁复杂的社会环境、繁杂繁重的日常工作以及浩如烟海的经典著作，党员干部如何才能亲近经典、深入经典、融入经典呢？本着“学马列要精，要管用”的原则，丛书第一辑我们选定了10本经典著作，由红旗文稿杂志社顾保国社长主编，组织国内著名高校的权威专家进行精心解读，出版之后社会反响强烈，不断收到读者反馈，要求我们继续编撰出版相关著作；丛书还入选了国家新闻出版署组织实施的2020年“优秀通俗理论读物出版工程”。这既是对我们工作的肯定和鼓励，也是对我们的鞭策和激励，更是我们理论工作者义不容辞的责任和使命。正是基于这样的考虑，我们在第一辑的基础上，秉持同样的理念又选定了10本经典著作，组织权威专家进行解读，并由红旗出版社编辑出版“大家写小书”第二辑，希望为马克思主义大众化做一点力所能及的贡献，不辜负大家的期望和伟大的时代。必须实事求是地指出，马克思主义经典著作内容博大精深，而我们对其的学习和领悟只能是冰山一角、高山仰止。鉴于我们的学术水平和认知能力有限，肯定存在解读不准确甚至错误的地方，敬请各位读者不吝指正！

中共中央党校（国家行政学院）
哲学教研部副主任、教授　董振华

2021年10月

目 录

前　言

《黑格尔法哲学批判》（以下简称《批判》）是马克思于1843年3月离开《莱茵报》编辑部至同年10月移居巴黎之间撰写的一部手稿，由于这期间马克思生活在妻子燕妮的家乡克罗茨纳赫，故又被称为《克罗茨纳赫手稿》。《批判》在马克思生前并未发表，直到1922年，苏联学者梁赞诺夫才在德国社会民主党的柏林档案馆发现了这部手稿。经过整理，《批判》被收录于1927年苏共中央马克思列宁主义研究院编辑的《马克思恩格斯全集》历史考证版第1部分第1卷，终于得以面世。

《批判》是马克思青年时期的作品，也是他思想发生转变时期的一部关键著作。马克思在担任《莱茵报》编辑期间，接触到了对物质利益问题表达意见的"难事"，对国家政治制度与物质利益关系的思考直接导致马克思对黑格尔法哲学产生了怀疑。与此同时，费尔巴哈对黑格尔哲学的批判与马克思在克罗茨纳赫期间对世界史的研究也对当时马克思的思想产生了重要影响，促使他产生了对黑格尔法哲学进行"批判性的分析"的想法。《批判》正是在这些因素的共同影响下诞生的。

从文本来看，《批判》是马克思对黑格尔《法哲学原理》伦理篇的第三章"国家"之第一部分"国内法"的摘录和评注。在书中，马克思批判了黑格尔的神秘主义国家观，论述了全书中最重要的论题"市民社会与国家的关系"，批判了黑格尔关于王权、行政权和立法权的理论，阐述了人民主权的思想。在论述过程中，马克思显示出了在克罗茨纳赫时期其思想前所未有的复杂性：这一时期马克思的思想已经开始"离开黑格尔走向费尔巴哈"，初步实现了向唯物主义的转变，却又没有发现黑格尔法哲学在历史观上的唯心主义，虽然对黑格尔"国家决定市民社会"的观点进行了颠倒，但仍没有完全抛弃理性主义的出发点，对市民社会的认知还处于黑格尔构建的理论体系内。这不仅导致了《批判》本身的语言晦涩难懂，加大了读者理解的难度，甚至使得这一著作在发表之后被认为是"不成熟的著作"，并未引起学界的广泛重视。直到20世纪后期，随着马克思文本创作史、市民社会理论和政治哲学研究的勃兴，《批判》越来越显示出其思想上的前瞻性和理论价值，逐渐成为学界研究和关注的重点。

本册通过梳理《批判》的诞生与内容梗概，展现了马克思写作《批判》的基本脉络，重点阐述了书中的核心论题"市民社会与国家的关系"，分析了《批判》在马克思主义发展史中的地位、作用及其对西方马克思主义与当代中国社会的影响和重要意义。马克思一生艰难困苦、颠沛流离却始终笔耕不辍、战斗不息，留下了诸多伟大的作品，《批判》仅为其中一本，但这却是马克思超越黑格尔、发现历史唯物主义最初的起点。作为一部展现马克思早期思想发展重要节点的著作，需要我们仔细品读，深入思考其学术价值和思想史意义。

Reading & Interpretation
大家写小书·马恩经典著作新读

第一章

《黑格尔法哲学批判》的写作缘起：一种“未完成”的诞生

《黑格尔法哲学批判》(以下简称《批判》)是卡尔·马克思的一本早期著作,1843年夏写于德国莱茵省的克罗茨纳赫,故又称《克罗茨纳赫手稿》。马克思在《莱茵报》任主编期间目睹了广大无产阶级民众的凄苦遭遇,动摇了对黑格尔哲学的信仰。退出《莱茵报》编辑部后,马克思系统地研究了欧美一些国家的历史,尤其是法国大革命的历史,并阅读了费尔巴哈的《关于哲学改造的临时纲要》,受到很大启发,于是开始了对黑格尔哲学的批判。在这部著作中,马克思揭露了黑格尔思辨哲学的神秘主义;批判黑格尔把市民社会从属于政治国家的观点,得出了市民社会决定政治国家的著名结论;批判了黑格尔主张统治者决定国家制度的英雄史观,阐明了人民创造国家的思想。由此可见,《批判》是马克思主义形成过程中的一部重要著作。

一、《批判》直面的问题:"物质利益"困惑

1842年4月,马克思开始为《莱茵报》撰写文稿,同年10月成为该报编辑。《莱茵报》的全称为《莱茵政治、商业和工业日报》,是由德国莱茵省内一些对普鲁士集权政府感到不满的资产阶级自由派创办的一家报社。在马克思担任主编期间,该报成为德国最重要的反对派报纸之一,直到1843年4月被普鲁士政府查封。这一时期被称为马克思思想发展的"《莱茵报》时期"。在这一时期,马克思还是黑格尔法哲学的信奉者,他以黑格尔哲学为信条处理现实问题,却与黑格尔的国家观产生了矛盾。黑格尔认为国家和法是至高无上的,应当无条件地凌驾于个人利益之上。然而现实却与之相左,立法者使

法律偏向于更富有的人，使国家成为富有者攫取更多财富的工具。这使得马克思对黑格尔的思想产生怀疑，产生了关于“物质利益”问题的“苦恼的疑问”，正是这些疑问促进了《批判》一书的诞生。马克思在此期间先后撰写和发表了《关于林木盗窃法的辩论》《摩塞尔记者的辩护》以及《关于自由贸易与保护关税的辩论》，开启了他为广大无产阶级呼吁呐喊、争取利益的正义之路。

（一）莱茵省议会《关于林木盗窃法的辩论》

19世纪40年代，由于德国在很长一段时间经济发展缓慢，普鲁士农民生活潦倒，食不果腹，只能依靠捡拾枯树枝和野果勉强度日。随着德国资本主义经济的不断发展，封建领主们为了维护自身的权益，在莱茵省议会的林木盗窃法草案中提出了更多过分要求，将拾荒枯树枝列入法令范围内，这对原本就生活艰难的普鲁士广大农民来说更是雪上加霜，而普鲁士王室贵族不但没有制止反而加以支持。基于此，马克思在《关于林木盗窃法的辩论》中对普鲁士国家的法律制度进行了批判，他尖锐地指出：捡拾枯树枝和盗窃林木是本质上不同的两回事，“如果法律把那种未必能叫作违反林木管理条例的行为称为盗窃林木，那么法律就是撒谎，而穷人就会成为合法谎言的牺牲品了”[1]。

在该文中，马克思坚定地站在广大劳苦普鲁士农民的立场上，为受压迫的劳动人民的利益辩护，批驳了把农民拾荒行为视为“盗窃”的卑劣行径，论证了广大农民依照固有习惯行

---

①《马克思恩格斯全集》第1卷，人民出版社1995年版，第244页。

事的正当性。但马克思在撰写此文时却抱着一种“为难”的情绪，一方面是因为此时马克思的世界观总体上仍是黑格尔唯心主义的世界观，将国家看作是理性的最高体现，把法律看作是人们自由意志的集中体现，私人利益应当服从于国家和法律；另一方面，马克思却从现实中看到了完全相反的结论，即体现人们自由意志的法律与私人利益交锋时，私人利益诱使法律背离法的应有本质，结果私人利益完全战胜了法律。“……应该为了保护林木的利益而牺牲法的原则呢，还是应该为了法的原则而牺牲保护林木的利益，——结果利益所得票数超过了法的票数。”①现实证明，私人利益与法的本质完全对立，使得马克思陷入了“物质利益”的困惑之中。

（二）在《莱茵报》上发表《摩塞尔记者的辩护》

1842年，摩塞尔地区的葡萄酒农大量破产，生活困顿，记者克伦布茨在《莱茵报》上真实地报道了摩塞尔地区农民的穷困状况，大胆地指出了当地行政机构的不作为和官员行使行政职权方面的缺失，这引起了莱茵省总督冯·沙培尔的极其不满，他指出《莱茵报》的目的并不是为了增进摩塞尔地区农民的幸福，而是企图煽起不满情绪并削弱当局与臣民之间的联系，并要求记者克伦布茨做出回应。克伦布茨不敢回应，马克思却勇敢地站出来为克伦布茨辩护，并于1843年1月在《莱茵报》上发表《摩塞尔记者的辩护》一文来回应莱茵省总督冯·沙培尔，“一个报纸记者在极其忠实地报道他所听到的人民呼声时，根本就不必准备详尽无遗地叙述和论证有关这种呼声的

①《马克思恩格斯全集》第1卷，人民出版社1995年版，第288页。

一切细节、原因和根源”[①]。马克思根据他所搜集到的关于摩塞尔地区农民穷困处境的大量材料，刻画出了当地以种植葡萄和酿造葡萄酒为生的农民的处境，以及当局大量进口外国葡萄酒致使物价跌落，地方政权联合贵族对酒农进行无情剥削的情景，尖锐地抨击了普鲁士的社会政治制度，他认为在这次辩护中物质利益所形成的社会关系仍支配着政府和个人所形成的行动和思想。“摩泽尔河沿岸地区的贫困状况不能看作是一种简单的状况。我们至少必须始终分清两个方面，即私人状况和国家状况，因为不能认为摩泽尔河沿岸地区的贫困状况和国家管理机构无关，正如不能认为摩泽尔河沿岸地区位于国境之外一样。”[②]

在该文中可以看出，虽然马克思原有的立场未变，但是他对旧哲学的信赖正在逐渐减退，他开始尝试打破黑格尔的国家观框架，具体表现在：第一，马克思对黑格尔的国家观进行反思，开始认识到国家本身的缺陷。当时，普鲁士当局的行政官们对摩泽尔地区酒农贫困的现象根本不屑一顾，互相推卸责任，认为出现这种现象是自然灾害等原因导致的，与自身治理毫无关系。马克思指出，一个国家的某一地区如果长期陷入贫困状态，与该地区的行政治理决策是有直接联系的，说明地方行政机构的决策同客观实际存在矛盾。马克思并不认为摩泽尔地区的贫困是由自然灾害或农民本身造成的，他认为是由于当局的不负责任的管理造成的。在陈旧的普鲁士官僚体制下，下级只服从上级的命令，只需要对上级负责，而不顾

①《马克思恩格斯全集》第1卷，人民出版社1995年版，第358页。
②《马克思恩格斯全集》第1卷，人民出版社1995年版，第364页。

群众的死活,管理者与被管理者之间实则是一种互相敌对的关系。第二,马克思认识到国家及其管理原则是由已存在的客观关系决定的,而不是个人意志主宰的,认为在研究国家现象时,应该侧重于发现人背后的客观关系和本质关系,并且开始下意识地探究决定国家的客观现实力量。

由上可知,在《莱茵报》时期,马克思思想中充满着深刻的矛盾,即理性与现实、传统与进步之间的矛盾,这种矛盾实际上就是黑格尔理性主义国家观与现实的矛盾。一方面,他猛烈抨击普鲁士的反动制度和维护特权者利益的本质,其思想不时显现出唯物主义的微光;另一方面,他的世界观还是黑格尔式的唯心主义和理性至上主义,像整个黑格尔派一样,他特别强调精神、理性的作用,对合乎理性的国家和法律充满了希望。当"物质利益"的困惑正式向马克思原有的理性主义世界观发起挑战时,原本占据马克思主要思想的黑格尔的理性主义世界观在现实问题面前毫无招架之力,如果说在《关于林木盗窃法的辩论》中,马克思还没有完全动摇唯心主义观念,那么在《摩塞尔记者的辩护》中,马克思所信仰的黑格尔哲学已无容身之地,迫使他不得不深刻反思黑格尔唯心主义对自己思想的束缚,并直面黑格尔哲学的合理性问题。马克思对黑格尔哲学从动摇、质疑走向批判,开始了一场全面的洗礼和清算。

知识链接

★《关于林木盗窃法的辩论》★

这是马克思针对第六届莱茵省议会的辩论而写的几篇论文之一。载于1842年10月25日、27日、30日和11月1日、3日《莱茵报》第298、300、303、305和307号的附页，署名为“莱茵省一居民”。中译文收入《马克思恩格斯全集》第一版第1卷、第二版第1卷。

马克思在文章中首先描述了贫富分化和对立的社会现状，并以枯树枝和活树的对比，来比喻贫富分化和对立。对于捡拾枯树枝，马克思认为，枯树枝和林木占有者之间没有任何有机的或人为的联系，枯树枝并不是林木所有者的财产。多个世纪以来，穷人都在捡拾枯树枝这一自然产物，因此，这是他们天然的习惯权利，是一种合法的占有。但现在，林木占有者为了自己的利益，要求把捡拾枯树枝与盗窃林木等同起来。这是为了幼树的权利而牺牲人的权利，为了枯死的树枝，不惜把许多无辜的贫苦群众“从活生生的道德之树上砍下来，把他们当作枯树抛入犯罪、耻辱和贫困的地狱”[①]，可以说，这是在损害穷人的习惯权利。而与此同时，作为本应维护人的权利的等级议会却从林木所有者的利益出发，把贫民捡拾枯树枝污蔑为盗窃林木，从而把法律变为私人利益的工具。通过分析，马克思揭露了普鲁士政府为了保护林木占有者利益而制定《林木盗窃法》草案所体现出的阶级本质，抨击了当前的普鲁士国家及其议会不过是少数统治阶级统治和掠夺人民，并用来袒护自己私人利益的工具。

---

①《马克思恩格斯全集》第1卷，人民出版社1995年版，第243页。

二、《批判》直面的文本：黑格尔《法哲学原理》相关观点

《批判》的主要内容是对黑格尔《法哲学原理》做的摘要和评注。因此，若要了解马克思此书的写作背景，黑格尔的法哲学是无法绕开的。

《法哲学原理》是黑格尔在柏林大学任教期间于1820年出版的一本著作。该书一经出版，便震惊了整个德国理论界，许多学者对该书褒贬不一，争论不断，自由派大加挞伐，称其为"政治保守主义的绝对公式"，普鲁士政府则对此书出版欣喜若狂，称黑格尔为"普鲁士复兴的国家哲学家"。

黑格尔的哲学体系包括逻辑学、自然哲学和精神哲学三部分。其中"精神哲学"又分为三部分，即主观精神、客观精神和绝对精神，而蕴于其中的"客观精神"再可分为三部分，即法、道德和伦理。法哲学既然是关于客观精神的哲学，那么也就是关于社会意识、群体意识、民族精神、时代精神的哲学。《法哲学原理》一书的内容十分丰富，涉及了法律、权利、道德、伦理，以及"世界历史"等多方面的论述。

（一）黑格尔的"主谓颠倒"

在《法哲学原理》一书中，"国家"章第257—274节概括了黑格尔国家观的基本思想。首先，黑格尔认为"国家是伦理理念的现实"[①]，他将国家看作是伦理精神的集中体现。"在世上行进的神，就是国家。国家的基础就是作为意志来自我实现的理性的权力。"[②]这是黑格尔国家观的首要定义；其次，黑格

①《黑格尔著作集》第7卷，邓安庆译，人民出版社2016年版，第382页。
②《黑格尔著作集》第7卷，邓安庆译，人民出版社2016年版，第388页。

尔认为“国家作为实体意志的现实，是它在被提升到它的普遍性中的、作为自在自为有理性东西的特殊自我意识所具有的现实”①，意思是国家是独立的、永恒的，它的存在是绝对合理的，自在自为的国家就是伦理性的整体，是将自由变为现实的重要载体，所以国家的存在就是自由的实现；最后，黑格尔认为国家是伦理理念现实化的最高阶段。在黑格尔看来，伦理理念的进化历经了三个阶段，即家庭、市民社会和国家，家庭是伦理理念的直接存在，市民社会是伦理理念的间接存在，国家是伦理理念的现实存在，所以国家是最高环节。黑格尔在该章中阐述了他关于国家和市民社会的基本观点。

（二）黑格尔的“王权至上”

在《法哲学原理》第275—286节，黑格尔阐述了其王权理论的基本思想。首先，黑格尔认为王权就是国家主权的体现，他主张王权具有绝对性、权威性、独断性，认为国家主权必须通过某个人的人格体现出来，这个人就是君主。“国家的人格性只有作为一个人格，作为君主才是现实的。”②他还认为人民主权不符合国家人格单一性的规定，只有君主主权才符合，“主权就是作为整体的人格性，而合乎这个概念且具实在性的这种人格性，就是君主的人格”③。其次，黑格尔认为王权包含着国家整体的三个部分，即“国家制度和法律的普遍性，作为特殊之物对普遍之物之关系的咨议，和作为自我规定的最后

①《黑格尔著作集》第7卷，邓安庆译，人民出版社2016年版，第382—383页。

②《黑格尔著作集》第7卷，邓安庆译，人民出版社2016年版，第423页。

③《黑格尔著作集》第7卷，邓安庆译，人民出版社2016年版，第424页。

决断环节”[①]。就是说，第一部分是国家整体的统一理想性，第二部分是与君王接触的商咨大臣们，第三部分是君主的良心。再次，黑格尔认为君主立宪制乃是现代社会的最高成就。黑格尔所说的王权并不是封建君主制的王权，而是君主立宪制中的王权，他提出“国家修炼到君主立宪制乃是现代世界的成就”[②]。最后，黑格尔认为王权基于君主的出生。“君主所以本质上就是作为这样的个体，是从其他一切内容中抽象出来的，而这样的个体，以直接自然的方式，通过自然诞生，注定具有君主的尊严。”[③]黑格尔的这种将王权看作主体，并将其尊严视作至高无上的学说，无疑维护了普鲁士君主立宪制政府的权威，马克思在对黑格尔的君主立宪学说进行批判的基础上，深刻阐述了人民主权的思想。

（三）黑格尔的“科层附庸”

黑格尔在行政权方面也有论述，他认为行政权起到了连接国家和市民社会的作用。在黑格尔看来，行政权的主要作用是贯彻和落实君王做出的决定。一方面，行政权属于市民社会范围内的事务，行政权通过满足市民社会成员们的特殊利益来实现国家的整体利益，比如通过审判权来维护市民社会成员的私人财产，通过警察来维护市民社会的长治久安，等等；另一方面，黑格尔又认为行政权是王权限制市民社会斗争的重要工具，“市民社会是个人私利的战场，是一切人反对一切人的战场，同样，市民社会也是私人利益与共同的特殊事务

①《黑格尔著作集》第7卷，邓安庆译，人民出版社2016年版，第418页。
②《黑格尔著作集》第7卷，邓安庆译，人民出版社2016年版，第414页。
③《黑格尔著作集》第7卷，邓安庆译，人民出版社2016年版，第426页。

冲突的场所，并且是它们二者共同与国家的最高观点和命令冲突的场所。”①在黑格尔看来，行政权必须作为国家意志自上而下的一种力量对市民社会进行管理。

行政官员即行政权的执行主体，黑格尔指出行政官员产生的方式有三种。第一，行政官员通常是由同业公会选举和最高当局批准任命相混合的方式产生的。“在市民社会以内和在国家本身的自在自为地存在着的普遍东西之外的共同的特殊利益（第256节），是由区乡组织的以及其他职业和等级的同业公会（第251节）及其首脑、领导、主管人等等来管理的。”②第二，个人必须获致知识和才能并通过考试得到君主的肯定和任命才可以担任行政主官。“就成为君王这一进行最后决断和行使主权的国家权力的特权。”③第三，还要防止行政官员的权力滥用问题，国家要具备完善的权力监督体系，提供这些监督“是靠自上而下起作用的主权设制和自下而上起作用的同业公会权利的设制”④。概括来说，黑格尔是在行政权与王权这两个环节的关系中来阐述其行政权思想的。不难看出，黑格尔关于行政权的论述实质上是形式主义的官僚政治。

（四）黑格尔的“等级要素”

黑格尔将国家的内部制度分为王权、行政权、立法权三个环节，在黑格尔的逻辑排序中，王权具有单一属性，行政权具有特殊属性，而立法权具有普遍属性，黑格尔将王权置于三种

①《马克思恩格斯全集》第3卷，人民出版社2002年版，第54页。
②《马克思恩格斯全集》第3卷，人民出版社2002年版，第53页。
③《马克思恩格斯全集》第3卷，人民出版社2002年版，第66页。
④《马克思恩格斯全集》第3卷，人民出版社2002年版，第56页。

属性的顶端，形成一套使三者有机统一的理论，“统一性就是整体即君主立宪制的顶峰和起点”[①]，认为君主是“自我同时是最单一的东西和最普遍的东西”[②]。由此可以看出，黑格尔十分拥护普鲁士政权的统治地位，他还认为立法权在行使的过程中必然会暴露君主和市民社会之间的矛盾，所以他用王权来制衡立法权。但是在黑格尔的法哲学体系中，立法权同王权和行政权相比较，是最能体现其国家观性质和特点的内容，因此，在《法哲学原理》一书中占篇幅最多，涉及的内容也十分重要。

黑格尔认为，立法权毫无疑问是意志的体现，但它并不像王权那样由单一意志体现抑或是行政权那样由特殊意志体现，而是以客观意志为基础的，这种客观意志具有客观普遍性与神圣性。立法权是为了维护普遍利益而存在的，但黑格尔认为其并不排斥特殊利益，而是与特殊利益相结合，鲜明地体现了个人权利和义务的统一。他指出，“立法权本身是国家制度的一部分，它以国家制度为前提，因此，国家制度本身自在自为地不由立法权直接规定，但是它通过法律的不断完善、通过普遍行政事务所固有的前进运动的性质，得到进一步的发展”[③]。其次，黑格尔试图在国家制度之外加上立法权，希望在国家制度的基础上逐渐推行法治。他指出，国家制度和立法权之间的关系是整体与部分的关系，国家制度是整体，立法权是部分，国家制度应该是独立于立法权之外的，“国家制度必

①《黑格尔著作集》第7卷，邓安庆译，人民出版社2016年版，第414页。
②《黑格尔著作集》第7卷，邓安庆译，人民出版社2016年版，第419页。
③《黑格尔著作集》第7卷，邓安庆译，人民出版社2016年版，第439页。

定是自在自为的、坚固有效的基础，立法权建立在它之上，所以它才不应该是被制造的”[①]。但事实是，法律总是国家制度中的客观存在，法律是不能脱离于国家制度之外的，立法权能够对国家制度起一定的规范和完善作用，国家制度只有通过法律的不断推动才能使普遍的国家事务向前发展。再次，黑格尔又指出立法权应当从属于国家制度，立法权必须是要依照国家制度的需求来拟定的。国家制度虽不以立法权的订立为前提，但立法权对国家制度的分解，无疑会使国家制度发生变化，“以此方式国家制度久而久之就变得与从前完全不同了”[②]。

黑格尔关于立法权的观点表明，他既想使立法权成为王权的助手来改造君主专制制度，又想在君主立宪制国家中保存王权的无上地位。黑格尔企图在原有国家制度上设置立法权，实现特殊利益和普遍利益的统一以及个人权利和义务的统一，具有反对封建专制、为资产阶级的自由权利发声的积极意义，但同时他又在王权的独断性面前低头了，骑墙于王权与立法权之间，企图将封建君主权力与资本主义法治权力混淆在一起，试图以一种波澜不惊的方式改善君主专制制度。

三、《批判》直面的时代：马克思早期思想形成的社会背景

自18世纪工业革命以来，欧洲大部分国家的工人阶级辛勤劳动、利用科技创造了大量的物质财富。在当时的时代背景下，马克思扛起了那个时代高级知识分子应有的担当，用他

① 《黑格尔著作集》第7卷，邓安庆译，人民出版社2016年版，第439页。
② 《黑格尔著作集》第7卷，邓安庆译，人民出版社2016年版，第440页。

深邃而富远见的思想为广大工人阶级争取权益，指导工人运动。马克思早期的思想并不是天马行空的，而是当时整个社会经济、社会阶级以及他个人生活背景等多种因素共同作用的结果。

（一）工业革命的现实背景

资本主义社会经济的快速发展为马克思早期的思想提供了现实的社会资料。18世纪中叶的英国，珍妮纺纱机的问世、瓦特改良的蒸汽机等率先揭开了工业革命的序幕，机器在物质生产活动中的广泛应用，解放了人的双手，大大提高了生产效率，生产力也随着科技的进步得到飞速的发展。比利时和法国也紧随其后开始了工业革命的步伐，工业革命开始在全欧洲蔓延，到了19世纪早期，西欧各国已相继完成了工业革命，标志着资本主义新的生产方式正式在西欧确立。工业革命的完成极大促进了社会生产力的发展和生产关系的改变，与此同时，在剩余价值规律和市场竞争规律的作用下，资本家们也在不断改进生产技术，使得资本的逐利手段不断更迭。在这种条件下，资本主义工业生产需要大批自由劳动力。而当时从事生产活动的主要劳动者，却是中世纪封建寡头领导下的农奴，他们始终停留在世袭等级最底层，没有人身自由，毫无尊严可讲。马克思认为："他在自己的劳动中不是肯定自己，而是否定自己，不是感到幸福，而是感到不幸，不是自由地发挥自己的体力和智力，而是使自己的肉体受折磨、精神遭摧残。"[①]

---

①《马克思恩格斯全集》第3卷，人民出版社2002年版，第270页。

资本主义新的生产方式在创造出比以往社会更大的生产力和更丰富的物质资料的同时，也不可避免地暴露出该种社会生产方式的内在矛盾，生产社会化和生产资料私人占有之间的冲突越发激烈，并加剧了财富分配、社会结构的两极分化。随着社会贫富分化加剧，社会阶层逐渐固化，阶级对立日益尖锐。这种种社会现象使年轻的马克思逐渐产生了为劳苦大众发声，抨击和批判资本主义生产方式的想法，而社会上的种种现实事件，也为青年马克思早期思想的形成提供了重要的现实来源和思想资料。

资本本身就具有逐利的本性，在资本主义社会制度下，这种本性被放大数倍。资本家们为追求高额利润，对广大的工人阶级展开压榨和剥削，使工人们生活在水深火热之中。工人在社会中处于劣势地位，付出了大量的劳动却并没有使得自身的处境得到改善，反而处于被异化、被剥削的境遇。工人们的劳动在私有制条件下并非出于自由自觉，这直接导致资产阶级与无产阶级的阶级矛盾不断激化。他们以自身感受到的恶劣生存环境和不公待遇为出发点，认识到导致自己贫困的真正根源并产生反抗意识，开展了罢工、捣毁机器等反抗活动。在这种情况下，工人阶级逐渐形成自己的主体意识，认识到自己在社会历史中所处的地位。无产阶级作为一支独立政治力量登上了历史舞台。

生活在被资本家压榨的私有制制度下的工人，内心十分渴望自己能够受到尊重，改善自己的生活条件，摆脱这种恶劣不堪的工作生活环境。在这种背景下，马克思为无产阶级争取利益的想法在脑海中愈演愈烈。

（二）马克思境遇对其思想形成的影响

马克思生活的社会环境不仅为他早期思想的形成提供了丰厚的社会文化资源，更为他早期的大量著作带来了写作灵感。历史上每个伟大的思想家阐发的思想都是他所处时代的产物，是那个时代的缩影，马克思作为一位伟大的思想家，同样也离不开他早年所处的生活环境与教育熏陶，这些客观因素对马克思早期思想的形成及著作的写作都产生了重要的影响。马克思在中学毕业论文中提到："如果我们选择了最能为人类而工作的职业，那么，重担就不能把我们压倒，那时我们所享受的就不是可怜的、有限的、自私的乐趣，我们的幸福将属于千百万人，我们的事业将悄然无声地存在下去，但是它会永远发挥作用，而面对我们的骨灰，高尚的人们将洒下热泪。"①

1818年，卡尔·马克思生于普鲁士莱茵省的特利尔城，马克思的父亲是特利尔城的高等上诉法院律师亨利希·马克思，学识渊博，爱好古典文学和哲学，受特利尔人尊重，母亲是罕丽达·普勒斯堡。他出生的莱茵省在法国大革命期间曾并入法国，同时该省也是德国经济和政治最发达的省份。当时许多社会成员具有强烈的民主意识，马克思深受法国大革命时期先进政治思想的影响。1834年，象征进步的"文学俱乐部"举办了欢迎自由派议员的宴会，不久又进行自由主义的示威活动，他们高唱法国国歌《马赛曲》等革命歌曲，高举法兰西三色旗，倡导启蒙运动的自由主义精神。马克思自幼在这种氛

①《马克思恩格斯全集》第1卷，人民出版社1995年版，第459—460页。

围中成长，对他之后的思想形成起到了重要作用。

1835年马克思从特利尔中学毕业。毕业后，他的父亲想让马克思从事法律相关工作，于是，1835年10月马克思开始进入波恩大学专修法律，后又进入柏林大学法律系。在这期间马克思深入学习了大量的法律与人文社会科学知识，开始更加了解当时所处的社会面貌。但是，同时他也深深地感到，如果没有哲学的帮助，就不能把这些法律条例吃透，所以他依然把自己在大学研究的重点放在哲学上面，“这又一次使我明白了，没有哲学我就不能前进。这样我就必须怀着我的良知重新投入她的怀抱，并写了一个新的形而上学原则的体系，但在这个体系的结尾我又一次不得不承认它和我以前的全部努力都是不恰当的”①。经过几年的刻苦钻研，马克思于1841年毕业，顺利取得了哲学博士学位。

在马克思的记忆中，邻居路德维希·冯·威斯特华伦男爵是对青年马克思影响很大的一位人物，他兼具人文主义思想与自由主义精神，与青年马克思建立了深厚的友谊。他不但与马克思经常探讨古希腊悲、喜剧和莎士比亚作品，还对当时的社会现实问题有非凡的见地。他研究圣西门等空想社会主义者的思想，并引导马克思关注社会现实。他特别喜爱这个早熟的“小邻居”，之后还将自己的女儿燕妮许配给了马克思，马克思也对他敬若慈父。可以说，威斯特华伦男爵是马克思人生道路上的一位重要长者，也是早期马克思思想道路上的重要引路人。

---

①《马克思恩格斯全集》第40卷，人民出版社1982年版，第13—14页。

1841年7月，马克思迁居波恩，打算谋一份教职，开启职业生涯。但是当时政府实行反动政策，1832年撤销了路德维希·费尔巴哈的教授职务，不准他进大学讲课，1841年又同样剥夺了布鲁诺·鲍威尔在波恩的讲学权。在这种情况下，同鲍威尔学术观点相似的马克思对成为学者的志愿心灰意冷，开始转而投向政治斗争。

1842年，马克思开始为青年黑格尔派的杂志《德国年鉴》撰稿，后又为《莱茵报》撰稿，10月起担任该报主编，并从波恩迁居科伦。自马克思主持该报后，该报变得越来越具有革命民主主义特征，对普鲁士政府和专制制度的批判也越发尖锐了。在报社的工作，锻炼了马克思的各方面才能，但当时的政府却感到《莱茵报》是一个威胁，开始实行严格的书报检查制度。于是，马克思在1843年3月退出了《莱茵报》编辑部。

1843年6月19日，马克思在克罗茨纳赫同女友燕妮结婚。10月底，偕同燕妮迁居巴黎生活。在这里，马克思首次同先进革命的无产阶级代表们建立了政治联系，并经常参加德、法无产阶级和手工业者的集会，进一步了解了无产阶级在当时环境中的悲惨处境。1844年，马克思和阿尔诺德·卢格创办了激进的革命杂志《德法年鉴》，马克思在这个杂志上发表过他的一些作品，如《黑格尔法哲学批判（导言）》《论犹太人问题》，第一次指出了无产阶级是唯一能够消灭剥削制度的阶级，提出了革命理论和革命实践相结合的思想，主张对现存的一切进行无情的批判，尤其是“武器的批判”。马克思在这个杂志上所发表的论文表明他在政治思想和世界观上已从黑格尔的神秘唯心主义转向唯物主义，从革命民主主义转向共产主义。

知识链接

★ 路德维希·冯·威斯特华伦 ★

路德维希·冯·威斯特华伦是马克思妻子燕妮的父亲，出身贵族，曾在拿破仑的威斯特伐利亚统治区政府机关工作，后调任特利尔市任顾问官，掌管法律工作，和马克思的父亲亨利希·马克思有工作往来，同时又是邻居，两人逐渐成为好友。两个家庭的长辈和子女经常来往，使得青年马克思赢得了路德维希的女儿燕妮的芳心，还和路德维希成了忘年交，马克思亲切地称他为路德老头。路德维希很喜欢才华出众的马克思，两人经常漫步林间，谈天说地。他推荐马克思阅读荷马和莎士比亚的书籍，激起了马克思对浪漫主义学派的兴趣。最重要的是，马克思第一次从路德维希这里接触到了法国的空想社会主义思想，这些内容激发了马克思对圣西门著作的兴趣，对马克思之后成为批判资本主义制度的社会主义运动领导人起到了重要作用。

延伸阅读

（1）黑格尔：《法哲学原理》（《黑格尔著作集》第7卷，邓安庆译，人民出版社2016年版。

（2）戴维·麦克莱伦：《马克思思想导论》，中国人民大学出版社2008年版。

深度思考

（1）马克思《关于林木盗窃法的辩论》《摩塞尔记者的辩护》以

及《关于自由贸易与保护关税的辩论》这3篇文章之间的内在关联是什么？又有什么差异？

（2）为什么说黑格尔是“官方哲学家”？

（3）马克思青年时期的经历与他思想的产生有什么联系？

第二章

《黑格尔法哲学批判》的主要内容：文本溯源与基本观点

《黑格尔法哲学批判》是马克思对黑格尔思想集中阐释的一部早期著作，是一部未完成的手稿。这部手稿共XL印张。其中，第I印张并未得到保存，其文本内容是对黑格尔《法哲学原理》伦理篇国家法部分第260节的评述。[①]手稿中援引黑格尔《法哲学原理》伦理篇之第三章国家部分的内容，其文本结构大体遵循所摘录部分的行文顺序。在手稿中，马克思对黑格尔观点的批判不仅仅针对其神秘主义的逻辑方法本身，更深刻地寓于市民社会与政治国家的关系揭示、内部国家制度的驳斥以及人本思想底色的彰显三个方面。

一、《批判》的文本与版本

《黑格尔法哲学批判》是马克思的一部未完成手稿。马克思在这部手稿中，针对黑格尔《法哲学原理》中“国家法”第261—313节的相关原文展开批判与分析。而在第313节以后，马克思中断了研究。至于未完成的原因，学界存在相关阐释与论述，主要核心是聚焦马克思缘何开始从国家到市民社会理论转变的探究。《黑格尔法哲学批判》手稿相较于马克思其他早期文本，在过去一段时间较少被提及。但自20世纪70年代以来，其得到西方学界越来越多的关注。一方面源自黑格尔的《法哲学原理》与国家理论研究的进展；另一方面，依赖于马克思主义哲学史研究的推进，马克思早期思想文本的内涵与价值获得更加深入的挖掘。截至目前，《批判》手稿被译成多国语言，在国内外出版了多个版本，多收录于马克思恩格

① 参见《马克思恩格斯全集》第3卷，人民出版社2002年版，第270页。

斯全集、选集以及其他著作集中，或以单行本的形式发行。

（一）手稿的“未完成”

《黑格尔法哲学批判》是马克思的一部早期手稿。关于写作时间，学界一般认为其完成于1843年马克思辞去《莱茵报》编辑工作至同年10月移居巴黎之间。至于具体日期，由于马克思本人并未在手稿中予以说明，难以得到精确考证。这段时期，马克思居住在克罗茨纳赫，所以这部手稿又被称为《克罗茨纳赫手稿》。关于这部手稿，它的最大特点体现为其自身的“未完成”。其“未完成”的特征体现在工作的“未完成”和思想的“未完成”两大方面，并且学界对于手稿未完成的原因存在诸多争论与阐释。

手稿的“未完成”首先体现在工作上的“未完成”。这个意义上的“未完成”大体从如下两个方面予以界定。第一，从马克思本人的研究论述来讲。马克思在手稿中大体遵循黑格尔《法哲学原理》的论述结构，逐节摘录原文并对其展开评述。但是，在手稿中，马克思对关于国家和教会的关系问题、个人服兵役问题、对黑格尔《市民社会》一章的专门分析等，表示“留待以后再谈”或“容后详谈”。而手稿在完成第313节之后便中断了研究，上述这些“留待详谈”的问题并未得到进一步的分析论证。第二，从一般著作写作结构来讲，这部手稿没有马克思所加的标题。现有标题是编者根据马克思在《德法年鉴》发表的文章《〈黑格尔法哲学批判〉导言》一文，依据马克思在《1844年经济学哲学手稿》的《序言》中的表述所进行的添加。手稿第一次发表于《马克思恩格斯全集》1927年历史考证版第1部分第1卷，手稿中方括号内的罗马数字和阿拉伯数字是作者编的手稿页码。[①]

手稿的“未完成”还体现在思想上的“未完成”。其思想的未完成体现在以下三个方面：一是马克思虽然认识到私有财产决定政治国家和法的观点，并对立法权和国家制度之间的关系做了一定的论述，但对于国家和法的关系的探讨不够成熟，也尚未从阶级斗争等视角探析国家哲学问题。二是马克思批判了黑格尔的逻辑推论，阐发了市民社会决定政治国家的思想，但此时尚未对政治经济学展开深入研究，未能真正揭示市民社会的经济属性与经济规定。三是马克思此时对于黑格尔法哲学的批判仍局限于其理性国家观的影响之中，但从政治国家到市民社会的转变对唯物史观的建立与形成意义重大。结合马克思思想发展历程的宏观把握，上述三点可以体现马克思写作《批判》时期思想上的过渡性质与特点。

关于马克思该部手稿“未完成”原因的解释，学界存在诸多论述。在诸多论述中，既包括主观原因，也涵盖客观原因，既是马克思内在思想认识转变的结果，亦关涉外部环境变化的影响。总的来看，可以从思想的形成性与环境的复杂性两大方面来整体理解。

在思想形成性方面，首先是马克思在手稿中沿袭了黑格尔式的致思逻辑，坚持国家与市民社会的二分，特别是接受了黑格尔市民社会概念的经济规定，开启了对市民社会研究领域的关注。其次，恩格斯在这一时期，致力于政治经济学的研

① 参见《马克思恩格斯全集》第3卷，人民出版社2002年版，第650页。

究，写作完成了《国民经济学批判大纲》。这部被马克思评价为“天才大纲”的文献也深刻地影响了其对于政治经济学研究的关注。而对政治经济学的研究深刻寓于市民社会内部结构的思考。再次，在批判黑格尔法哲学的同时，马克思对欧洲国家的历史政治进行了史料考察，尤其是对法国大革命进行了深入分析，撰写并完成了《克罗茨纳赫笔记》，在社会历史领域发现了私有制的重要作用，为进一步从唯物史观的角度深入市民社会经济层面的研究奠定了理论基础。上述三个方面共同标志着马克思在这一时期，开启了由国家到市民社会，由法哲学到政治经济学的研究重心的转变。而这一转变，使得马克思搁置了手稿的研究，构成了对未完成原因的一种可能性解释。

在环境的复杂性方面，马克思在担任《莱茵报》编辑期间，面对新闻出版自由、林木盗窃案、摩泽尔农民贫困等事件，开始反思现有理论无法合理解释物质利益难题的现实困境。同时，马克思在克罗茨纳赫时期之后定居巴黎，巴黎是当时工业发达的“大都市”之一，马克思不仅有机会与社会上层名流以及资产阶级知识分子相接触，同时有更多机会深入社会底层，同真正的工人阶级、手工业者相交流。而这些现实经历深刻影响了马克思世界观与价值观的改变，并延滞了手稿研究工作的持续推进。

总的来看，虽然学界对于手稿“未完成”的原因存在多种解释，并且对于其中主导因素的判定各不相同。例如，部分学者更重视《克罗茨纳赫笔记》在马克思研究中独立走向社会历史本体的重要意义[①]，或是黑格尔法哲学的某些“要素”对马克思研究志趣的潜移默化影响[②]。但不可否认的是，上述因素共同影响了马克思在这一时期的批判方向与理论关注，即从国家法哲学到逐渐深入市民社会研究的转变。而这一转变，构成了对手稿“未完成”原因的有力阐释与说明。

知识链接 ……………………………………………………………

★《克罗茨纳赫笔记》★

《克罗茨纳赫笔记》(以下简称《笔记》)不同于《克罗茨纳赫手稿》。1843年3月至9月间，马克思通过阅读并摘录欧洲大量历史学与政治学著作，写就了这部笔记。马克思在《笔记》中标记了写作时间(1843年7—8月)，学界对于《笔记》与同一时期创作的《黑格尔法哲学批判》之间的时间先后顺序存在争议，即存在《笔记》摘录于《批判》创作之中或在其创作之后两种主流观点的分歧。明晰这一时间顺序，对于理解《笔记》与《批判》的思想关系及其在马克思思想发展历程中的重要地位与作用意义重大。

《笔记》共分5册，聚焦公元前6世纪到19世纪30年代近2500年的人类社会历史，尤其是以法国为中心的欧洲部分国家自身封建社会的历史演变问题。核心议题是关于市民社会与政治国家之间的相互关系，主要内容包括公有制向私有制转变的历史考察，所有制之于国家形式等社会历史结构的基础性影响以及资产阶级代议制

① 参见张一兵:《青年马克思的第一次思想转变与〈克罗茨纳赫笔记〉》,《求是学刊》1999年第3期,第30页。

② 参见韩立新:《从国家到市民社会:马克思思想的重要转变——以马克思〈黑格尔法哲学批判〉为研究中心》,《河北学刊》2009年第1期,第15页。

民主政治的历史局限,等等。

《笔记》在马克思思想形成中发挥着承前启后的重要作用。第一,它以历史性的实证研究为基础,与同一时期的《批判》共同构成了早期马克思思想中"市民社会与政治国家"关系研究的重要文本。第二,《笔记》中对于资产阶级代议制民主政治的批判,对"人民主权"问题社会批判等方面的思考,为唯物史观的建立提供了一定的思想基础。第三,《笔记》通过对私有制的历史考察与分析,为揭示马克思"市民社会决定政治国家"的理论观点及对之后深入到市民社会本身,展开政治经济学的研究奠定了理论前提。

★《〈黑格尔法哲学批判〉导言》★

《莱茵报》被查封后,马克思与卢格在法国创办了新刊物《德法年鉴》,继续批判德国的专制制度,进而探讨如何实现人类自由解放的问题。《德法年鉴》仅出版一期,马克思在上面发表了两篇文章,分别为《论犹太人问题》与《〈黑格尔法哲学批判〉导言》。

《〈黑格尔法哲学批判〉导言》(以下简称《导言》)于1844年2月发表,是对《黑格尔法哲学批判》中提及的一系列问题所进行的更为深入的研究。《导言》集中从宗教、哲学、政治和革命四个方面,展开对以德国为代表的现实社会的批判,并在批判中彰显了对黑格尔思想的背离与超越。在《导言》中,马克思不仅仅停留于对德国现实的分析思考,更对如何实现人类解放以及实现人类解放的力量、途径做了初步探讨,清晰地阐述了无产阶级在实现人类解放的历史进程中的主体地位及其重要意义。《导言》与同一时期发表在《德法年鉴》上的其他文章,共同标志着马克思、恩格斯实现从唯心主义到唯物主义、从革命民主主义到共产主义的重要思想转变。

（二）手稿的“多版本”

《黑格尔法哲学批判》手稿相较于其他马克思早期著作，在较长的一段时期内并未得到足够重视。1922年，苏联马克思文献家梁赞诺夫在德国社会民主党的柏林档案馆，发现了这部马克思生前并未发表的手稿。手稿第一次出版的时间是在1927年，收录于《马克思恩格斯全集》1927年历史考证版第1部分第1卷。标题为“黑格尔法哲学批判。黑格尔国家法批判（§§261-313）”。该版本是《黑格尔法哲学批判》最早的版本，后续的诸多版本在此基础之上参考、借鉴与整理。此外，手稿在国内外存在多个版本，分别被译成德文、俄文、日文、英文、意大利文、法文等多国语言。

手稿国外的版本较多，若根据语言来划分，包括德文版、俄文版、日文版、英文版、意大利文版、法文版、西班牙文版等，各版本主要收录在全集、选集以及其他著作集中，或是以单行本的形式出版。这里重点对收录在《马克思恩格斯全集》历史考证版（MEGA）中的两个德文版本略作说明。早在20世纪初，俄国学者梁赞诺夫就萌生了出版《马克思恩格斯全集》的构想。1921年，理想开始转化为现实。在列宁的倡议下，苏共中央成立了马克思恩格斯研究院，梁赞诺夫担任院长并积极开展工作。通过几年对原始书信、手稿及复印件的辛苦搜集与整理，*Karl Marx Friedrich Engels Historisch-Kritische Gesamtausgabe*（即《马克思恩格斯全集》历史考证版第一版）于1927年正式出版。但是，由于第二次世界大战爆发等原因，截至1935年只出版了12卷（13册）便不幸中止。《黑格尔法哲学批判》手稿收录在该版第1卷中，这也是手稿的第一次公开出版。

目前，手稿存在四个代表性的国内版本，不同国内版本的编译参照了国外相关权威版本。1935年，由上海辛垦书店出版的，柳若水编译的《黑格尔法哲学批判》一书，是目前已知的最早与手稿相关的中文译本。1956年，手稿收录于人民出版社出版的，由中央编译局编译的《马克思恩格斯全集》中文第1版第1卷第245—404页。1962年，人民出版社出版了《黑格尔法哲学批判》单行本，共170页。1995年起，中央编译局编译的《马克思恩格斯全集》中文第二版开始出版，《黑格尔法哲学批判》收录于该版第3卷第5—158页。[①]

二、《批判》的结构与方法

马克思的《黑格尔法哲学批判》手稿主要是援引黑格尔《法哲学原理》中的相关论述展开分析论证，研究对象明确，所以在论述手稿的文本结构之前，有必要先对黑格尔《法哲学原理》的基本行文架构予以简要说明，特别是对《法哲学原理》中伦理篇之国家章中的国家法部分做重点阐释。马克思吸收了费尔巴哈“主谓倒置”的方法，对黑格尔的神秘主义方法论展开批判，并在批判的过程中初步彰显了自身独特的方法论轨迹。

（一）手稿的文本结构

黑格尔的《法哲学原理》共包含三大部分，分别为抽象法（第34—104节）、道德（第105—141节）、伦理（第142—360节），这三大部分相互区别，相互联系。所谓相互区别，意指它

① 参见杨学功：《马克思〈黑格尔法哲学批判〉研究读本》，中央编译出版社2017年版，第50—60页。

们构成了自由不同方面的规定性。抽象法是自由的客观体现，道德是抽象法的主观体现，而伦理是自由主客观相统一的体现。所谓相互联系，意指这三个方面并不是彼此独立，价值无涉的存在。作为不同形式和阶段上的自由体现，较高的阶段比前一阶段更为丰富具体，三者共同构成了自由的整体规定性特征。马克思所重点评注的是该著作中伦理篇之第三章国家部分（第257—360节）的内容，但是马克思并未从第257节直接讲起，并且在后来的传播过程中，也遗失了第260节的评注。关于第257—260节的部分，其主要内容是分别论述"国家是伦理理念的现实""国家是绝对自在自为的理性东西""国家的理念构成""国家是具体自由的现实"等上述四个核心观点，其实质是对于国家概念及其理念本质的总体性说明。从行文架构来看，这一部分是对国家理念的定性说明，对后文从内部国家制度本身（第272—320节），即王权、行政权、立法权的批判起到总领性的作用。而对内部国家制度的批判，也是马克思在手稿中重点阐述、所占篇幅较大的部分。

如前所述，《黑格尔法哲学批判》手稿是对《法哲学原理》中"国家法"部分内容的评注。在行文结构上，除了在批判长子继承权部分，评注了《法哲学原理》著作第一部分"抽象法"中第65、66与71节之外，其余摘录基本与《法哲学原理》中第261—313节的顺序保持一致。现对二者行文结构上的对应关系，以表格的形式加以说明，以期更为清晰和直观。

表1.1 《法哲学原理》与《黑格尔法哲学批判》行文结构对应关系[①]

章节名称	《法哲学原理》	《黑格尔法哲学批判》
国家法总述	第261—271节	第7—24页
内部国家制度总述	第272—274节	第24—27页
王权分述	第275—286节	第27—53页
行政权分述	第287—297节	第53—69页
立法权分述	第298—313节	第69—160页

在明确了《法哲学原理》与《黑格尔法哲学批判》著作的基本行文结构，并对二者行文的文本结构进行对应关系呈现之后，关于手稿的文本结构，尚存在一个重要问题需要说明。马克思为何对黑格尔《法哲学原理》的批判是从第260节开始写起的？学界对这个问题的讨论，存在一定争议与分歧。针对此问题，学者黄建都在《〈黑格尔法哲学批判〉文本思想及当代价值研究》一书中[②]，展开了深入的综述呈现。总的来看，原因分为如下两点：第一，手稿写作时期的马克思对市民社会的理解程度，与黑格尔不在同一思想高度。黑格尔对市民社会概念的认识，既包含德国古典哲学传统的理解，又体现了对于英国古典政治经济学的深刻思考，是二者结合的产物。而此时的马克思，尚未深入系统地展开政治经济学的研究，更不用说深入到市民社会中进行政治经济学的批判。这种观点是国内

① 表格中页码参照《马克思恩格斯全集》第3卷，人民出版社2002年版。

② 参见黄建都：《〈黑格尔法哲学批判〉文本思想及当代价值研究》，人民出版社2019年版，第98—101页。

外学者的主流看法，其观点本身也可以得到一定的文本支撑。手稿中关于市民社会的理解，马克思更多是从政治的角度论述市民社会与政治国家之间的关系，并未深入到对市民社会本身的经济学性质的批判。第二，对于国家法哲学问题的关注，是马克思写作手稿时期的理论聚焦点。为写作此书，马克思曾拟定一份提纲，即《关于现代国家的著作的计划草稿》。在这份草稿中，所涉及的内容基本围绕现代国家的政治问题展开，其政治经济学批判向度并未得到主要彰显。综上所述，马克思在手稿中对黑格尔《法哲学原理》的批判从第260节写起，即从国家章而非市民社会章展开评注，与马克思同时期的理论关注点以及思想认知高度等因素息息相关。

（二）手稿的逻辑方法

马克思对黑格尔《法哲学原理》的批判首先体现在方法论上，集中体现为对黑格尔方法论中“逻辑颠倒”“中项混乱”这两大问题的分析，并在揭示黑格尔逻辑的、泛神论的神秘主义方法论局限中，彰显了自己独特的方法论思考。

首先，批判黑格尔方法论中的“逻辑颠倒”。这里的“逻辑颠倒”分为两个方面：一是批判黑格尔逻辑学的“主谓颠倒”，这也是学界所公认的马克思对黑格尔逻辑学的主要批判点；二是批判黑格尔逻辑学的具体内容与抽象形式的颠倒，这一点相对被学界较少提及。在第一方面，马克思借用费尔巴哈对黑格尔“神秘主义陈述方式”的批判，将主词和谓词调换位置。“主观性是主体的规定，人格是人的规定。黑格尔不把主观性和人格看作它们的主体的谓语，反而把这些谓语变成某种独立的东西，然后以神秘的方式把这些谓语变成这些谓语的主体。”[①]不是从思维到存在，而是从存在到思维，恢复了人而不是理念的主体地位。马克思不仅从一般逻辑结构形式上对主谓关系展开抽象性的说明，更在具体的论述中进一步展开对黑格尔逻辑学“主谓颠倒”的批判。而这种批判关涉到第二方面，即具体内容与抽象形式的颠倒。其具体表现为以下几点：一是家庭、市民社会与国家的关系，“国家是从作为家庭的成员和市民社会的成员而存在的这种群体中产生的”[②]，并非是观念活动的产物；二是政治信念、政治制度与政治领域中的抽象观念之间的关系，在这里，真正的主体并不是抽象观念本身，真正的主体是在黑格尔那里作为谓语出现的“主观实体性”与“客观实体性”，即政治信念与政治制度；三是“普遍的国家目的”“各种有差别的权力”以及“受过教育的、了解自身并希求自身的现实精神”三者之间的关系。同样，这里的真正主体并不是抽象逻辑范畴，正确的逻辑顺序是以“了解自身并希求自身的精神”为出发点，它们代表着现实的人及其活动。普遍的国家目的仅仅是主体活动的价值旨归，各种有差别的权力是实现这一目的的方式。如果按照黑格尔神秘主义的致思逻辑，现实的主体只能成为抽象谓语的最后谓语。总的来看，马克思批判黑格尔方法论中的“逻辑颠倒”所体现的两个层面，是内在一致且不可分离的，它们共同体现了形式与内容的有机融合。如果仅仅停留在“主谓颠倒”的层面上，只是从形式上予以驳斥，是未能深入到特殊事物的内在本质的。正如马克思在《批判》里所提及的：在黑格尔那里，“真正注意的中

①《马克思恩格斯全集》第3卷，人民出版社2002年版，第32页。

②《马克思恩格斯全集》第3卷，人民出版社2002年版，第12页。

心不是法哲学，而是逻辑学……不是用逻辑来论证国家，而是用国家来论证逻辑”[①]。在这种意义上，法哲学仅仅是逻辑学的补充。

其次，批判黑格尔方法论中的“中项混乱”。黑格尔方法论中的“中项混乱”体现在他对普遍性与特殊性的关系思考之中。黑格尔在《法哲学原理》中所采用的是“特殊性—中介—普遍性”的推理方式，其中普遍性决定特殊性。这一推理方式导源于黑格尔《逻辑学》中“个别性—中介—普遍性”的致思逻辑。它的基本形式是：个别性通过作为中介的特殊性，与普遍性达成统一。具体而言，市民社会与国家分属特殊性与普遍性的两极，政府要素与等级要素作为两者的中项存在。但问题在于中项在黑格尔的《法哲学原理》中有诸多规定，中项由政府要素与等级要素构成，共分为农民等级、产业等级与普遍等级，前两者构成私人等级，后者为普遍等级。由于普遍等级所体现的官僚机构人员握有行政权，代表普遍性，体现国家意志从而管理私人等级，所以私人等级仅仅构成行政权的“补充剂”。并且，无论是普遍等级还是私人等级，均不再是原生意义上的两极表现，而是部分地体现为“缩小了的人民”与“扩大了的政府”。所以，特殊性与普遍性，即市民社会与政治国家之间的矛盾演变为立法权内部，即中项内部私人等级与普遍等级之间的矛盾，或私人等级要素与行政权之间的矛盾。而矛盾的解决同样依赖于中项的调节，然而，“市民社会起不了这种作用，因为它在‘立法权’中没有它本身的地位”[②]，只能由

①《马克思恩格斯全集》第3卷，人民出版社2002年版，第22页。
②《马克思恩格斯全集》第3卷，人民出版社2002年版，第108—109页。

王权充任私人等级要素与政府要素的中项。所以，中项的多重规定以及“混乱使用”在这里彻底暴露出了逻辑上的前后不一。原本作为推理两极中一极的国家（王权），现在作为中项起着连接作用。而原本作为中项的政府要素与等级要素，却在以国家（王权）为中项的推理形式中处于两极的位置。“这就像雅努斯的有两副面孔的头，时而现出这一面，时而现出那一面，前后两面，各不相同”①，在黑格尔方法论“中项混乱”的背后，同样深刻地体现了其对于特殊性与普遍性关系的狭隘理解。

最后，彰显马克思方法论的“初步轨迹”。在批判黑格尔方法论中“逻辑颠倒”“中项混乱”这两个谬论的过程中，同样彰显了马克思对于方法论问题的独到思考。关于这部分思考，手稿中存在两处代表性的体现。第一，在存在与思维的关系中，存在是主词，思维是谓词，彰显了从存在到思维的致思路径。“这种批判从这些矛盾的本来意义上来把握矛盾。但是，这种理解不在于到处去重新辨认逻辑概念的规定，像黑格尔所想像的那样，而在于把握特有对象的特有逻辑。”②不是思维决定存在，而是存在决定思维。第二，在普遍性与特殊性关系中，要从事物的特殊本质方面认识事物。马克思在区分政治制度的特殊观念与政治领域中的抽象观念时指出：“差别是不会从这种普遍规定中产生的。没有指出特殊差别的解释就不成其为解释。”③不是普遍性决定特殊性，而是特殊性决定普

①《马克思恩格斯全集》第3卷，人民出版社2002年版，第109页。

②《马克思恩格斯全集》第3卷，人民出版社2002年版，第114页。

③《马克思恩格斯全集》第3卷，人民出版社2002年版，第16页。

遍性。综合来看，是马克思对黑格尔唯心辩证法的“颠倒”与发展，是马克思唯物辩证法思想的显现。

三、《批判》的内容与观点

马克思对黑格尔《法哲学原理》观点的批判，不仅仅体现在方法上，更体现在对其内容与观点的批判。依据文本的行文逻辑及结构安排，手稿中的内容及观点集中体现在以下三个方面：市民社会决定政治国家、内部国家制度的批判以及马克思人本思想底色的彰显。

（一）市民社会决定政治国家

马克思对市民社会与政治国家之间关系的批判，首先建立在黑格尔对政治国家与市民社会的理解之上。在黑格尔看来，国家是普遍意志的体现，国家是家庭与市民社会的“外在必然性”与“内在目的”，家庭和市民社会从属并依存于国家存在。黑格尔对于市民社会有三点规定：（1）“市民社会的定义是一切人反对一切人的战争”；（2）“在私人的利己主义中既显示出‘市民爱国心的秘密’，又显示出‘国家在市民信念上具有的深度和强度’”；（3）“‘市民’，即具有同普遍东西对立的特殊利益的人，市民社会的成员，被看作‘固定不变的个人’；另一方面，国家也同‘市民’这种‘固定不变的个人’相对立”。[①]市民社会是私人利益与特殊利益相互竞争、冲突的场域。基于黑格尔理性国家观以及私人利己主义的市民社会的概念理解，马克思针对市民社会与政治国家的关系展开了批

①《马克思恩格斯全集》第3卷，人民出版社2002年版，第54页。

判分析。

第一，市民社会与政治国家的相互分离。在这一点上，马克思继承了黑格尔市民社会与政治国家的二分框架。无论是对黑格尔观点的论述，还是对其观点的批判，均是在市民社会不同于政治国家的致思逻辑中展开，并且指出市民社会及家庭作为特殊的“领域”构成国家的前提。第二，市民社会与政治国家的二律背反。一方面，黑格尔认为国家是家庭与市民社会的“外在必然性”，通过“从属”“依存”等词汇表征了“外在必然性”的含义，即“当家庭和社会的‘法律’和‘利益’同国家的‘法律’和‘利益’发生冲突时，家庭和社会的‘法律’和‘利益’必须依从国家的‘法律’和‘利益’”[①]。因此，家庭和市民社会在本质上依存于国家。另一方面，国家又是家庭和市民社会的内在目的。“国家的普遍的最终目的和个人的特殊利益的统一，据说就在于个人对国家所尽的义务和国家赋予他的权利是同一的。”[②]如果国家的内在目的要在家庭与市民社会中实现，如果这才是符合事物本质的发展过程，那么必然与家庭和市民社会在本质上依存于国家这一论断相矛盾，即“‘从属性’与‘依存性’是约束着独立的本质并与这种本质背道而驰”。[③]第三，市民社会与政治国家的“主谓颠倒”。在黑格尔看来，家庭与市民社会被看作国家的有限性。国家把自己分为这些领域，并以之为前提，它的目的在于通过一定原则在这个过程中返回自身，证明其自为性的存在。马克思认为，黑格尔在思辨思维中对家庭、市民社会与国家之间关系的认知是

①③《马克思恩格斯全集》第3卷，人民出版社2002年版，第8页。

②《马克思恩格斯全集》第3卷，人民出版社2002年版，第9页。

不合理的。“观念变成了主体，而家庭和市民社会对国家的现实的关系被理解为观念的内在想像活动。”①马克思通过主谓倒置的方式，还原了真实的现实。国家并非抽象的观念的精神概念，而是“从作为家庭的成员和市民社会的成员而存在的这种群体中产生的”②。换言之，不是政治国家决定市民社会，而是市民社会决定政治国家。

（二）内部国家制度批判

1. 王权的批判

首先，马克思批判了黑格尔的王权理论。第一，批判了王权的主观性。在黑格尔看来，“主权即国家的理想主义只是作为内在的必然性即作为观念而存在”③，由于黑格尔将观念看作主体，而王权是国家理想主义的表征，所以自然成了主体。但是，王权的抽象观念性而非现实性恰恰是马克思所予以批驳的对象。第二，批判了王权的个体性。黑格尔认为王权即君权，理由在于“主观性只有作为主体才能存在，而每一个主体又只有作为一才能存在”④。马克思对此进行反驳，如果单个的人是一，那么就会得出“人类只是一个唯一的人”的荒谬结论。第三，批判了王权的偶然性。这里的偶然性分为两个方面，一是意志偶然性，二是自然偶然性。所谓意志偶然性，指的是黑格尔“王权即任意”的观念，即抽象的、没有根据的意志可以做出最后决断的一种自我规定。所谓自然偶然性，即

---

①《马克思恩格斯全集》第3卷，人民出版社2002年版，第10页。
②《马克思恩格斯全集》第3卷，人民出版社2002年版，第12页。
③《马克思恩格斯全集》第3卷，人民出版社2002年版，第30页。
④《马克思恩格斯全集》第3卷，人民出版社2002年版，第36页。

将这种最后决断看作与生俱来，体现为君主世袭。这种偶然性在君主的恩赦权、大臣的任免权以及君王责任的承担等方面得到了更为具体的显现。

其次，马克思正面阐释了人民主权的思想。第一，人民主权与君主主权不可能同时存在，二者必居其一。"如果君王是'现实的国家主权'，那么'君王'对外也应当被认为是一个'独立的国家'，甚至不要人民也行"，这显然违背现实。所以，君王只是人民主权的代表、象征，"人民主权不是凭借君王产生的，君王倒是凭借人民主权产生的"。[①] 第二，民主制是君主制的真理。在民主制中，国家制度本身即体现为人民的自我规定。而在君主制中，仅仅体现为君王自身的自我规定，是部分决定整体，其局限性表明君主制的不彻底性。在此基础上，马克思对真正民主制的基本特点，以及政治国家的异化与回归历史进程做了详细论证，深化了对于人民主权思想的讨论。

2. 行政权的批判

马克思对行政权的批判主要体现在三个方面。一是批判行政权是王权的"附庸"。一方面，马克思肯定了黑格尔将行政权、警察权与审判权看成协调一致而非对立的关系，这是理论的进步；另一方面，由于行政权归根结底是体现王权的意志，所以只是"君主固有主权的客观方面"[②]，仅仅构成王权的"附庸"。二是阐明了官僚政治存在的前提、基础及本质特征。同业工会是官僚政治得以存在的前提，其基础在于国家与市民社会、普遍利益与特殊利益的相互分离，其本质特征体

---

①《马克思恩格斯全集》第3卷，人民出版社2002年版，第37页。

②《马克思恩格斯全集》第3卷，人民出版社2002年版，第56页。

现为“形式主义”的国家。一方面，作为“形式主义”的国家，官僚政治不得不将其自身拔高为国家的最终目的，所以官僚政治把“形式的国家精神”当作绝对命令，即国家的唯灵论体现；另一方面，官僚政治体现着等级制的秘密，它的等级制是知识的等级制。在此意义上，官僚政治使得国家目的和国家利益私有化，唯灵论演变为粗陋的唯物主义。所以，官僚政治的每一件事都具有双重的意义，其形式目的与实在目的之间的对立、紧张状态，始终构成一种无法消除的矛盾。三是铲除官僚政治的途径。黑格尔对此提出了四种铲除途径，分别是行政官员混合选拔、国家公务员考试、官员的薪俸以及依靠监督机制、思想教育等方式防止官员滥用权力。马克思对此一一进行了批判性分析，并同时阐述了自己的相关思考。“只有特殊利益在实际上成为普遍利益时才有可能”[①]，即普遍利益在形式上和内容上都真正地代表人民的利益。

3. 立法权的批判

马克思对立法权的批判体现在诸多方面，其内容包括立法权与国家制度的关系，等级要素及其中项作用的分析，从立法权的角度看待市民社会与政治国家之间的关系，私有财产及其与政治国家、法之间的关系以及人民立法权的思考，等等。马克思在批判黑格尔立法权的相关理解的同时，表达了自己对于立法权的独到认识，深化了对于市民社会与政治国家的关系阐释。这里对立法权与国家制度关系，私有财产与政治国家、法的关系两大方面做简略说明。

①《马克思恩格斯全集》第3卷，人民出版社2002年版，第61页。

立法权决定国家制度。黑格尔认为，国家制度是立法权的前提，立法权构成国家制度的一部分，并且国家制度本身处于立法权的直接规定之外，国家制度可以通过立法的完善或是政府事务的改进从而得到实现。基于黑格尔的上述阐发，马克思进行了一一驳斥。首先，从黑格尔的叙述逻辑来讲，黑格尔是后来才构思出整个国家制度，因而其不可能构成立法权的前提。国家制度自身不可能不经由制定的法律自行产生。因此，不是国家制度构成立法权的前提，而是立法权构成国家制度的前提。其次，即便从另一个角度来看，立法权是按照国家制度确立起来的权力，但是黑格尔并没有合理地解释上述两种观点之间的矛盾及对立。一方面，按照黑格尔的论述，立法权从属于国家制度；另一方面，黑格尔寄希望于立法权"通过法律的不断完善"间接改变国家制度。由此可见，"它顺应事物和关系的本性所做的，按照国家制度的本性却是它所不应该做的"[①]，如果事物本身的规律即为国家法律的体现，那么将二者人为割裂、对立起来便存在问题。再次，马克思明确指出国家制度与立法权之间的对立，归根结底在于市民社会与政治国家的分离。"国家制度和立法权之间的冲突只不过是国家制度和自身的冲突，是国家制度这一概念中的矛盾"[②]，所以不是国家制度决定立法权，而是立法权决定国家制度。

私有财产决定政治国家与法。首先体现为马克思对"长子继承权"的阐释。按照黑格尔的构想，地产是一种特殊财产，它既不依赖于"行政权的恩惠"，又不依赖于"一群人的恩

①《马克思恩格斯全集》第3卷，人民出版社2002年版，第71页。

②《马克思恩格斯全集》第3卷，人民出版社2002年版，第73页。

惠”,即国家的财产与社会的财产。所以,它是独立自主的,最能体现社会意志所设定的财产形式。国家制度作为社会意志或是抽象理念的具体体现,加之长子继承权是私有财产的最高级形式,所以按照黑格尔的致思逻辑,政治国家决定私有财产。马克思认为不是政治国家决定私有财产,而是私有财产决定政治国家。因为,“政治国家使私有财产脱离家庭和社会,使它变成某种抽象的独立物”[①],这里存在的只是政治国家的幻想,实际是体现为私有财产本身的权力。其次体现为对黑格尔“动物学世界观”的批判。黑格尔认为,长子继承权基于人的肉体出生地位,是人与生俱来的权利,它不需要社会的承认。马克思批判了黑格尔“动物学世界观”的荒谬性,犀利指出:“个体的出生和作为特定的社会地位、特定的社会职能等等的个体化的个体之间存在着直接的同一,直接的符合一致,就是一件怪事,一个奇迹了。”[②]所以说,长子继承权享有者身上所体现的这种政治“无依赖性”并不是从政治国家自己的本质中产生的,而是从私有财产的本质中获得的。综上所述,一方面,私有财产决定政治国家与法;另一方面,政治国家与立法权保护并服务于私有财产,通过社会认可而非自然出生的形式予以确认。因此,立法权本身“除了私有财产的内容外缺乏任何其他的内容”[③]。

(三)马克思人本思想的底色

在批判黑格尔对于王权、行政权、立法权的观点的同时,

①《马克思恩格斯全集》第3卷,人民出版社2002年版,第124页。
②《马克思恩格斯全集》第3卷,人民出版社2002年版,第131页。
③《马克思恩格斯全集》第3卷,人民出版社2002年版,第127页。

手稿中也渗透着马克思人本思想的底色。手稿中所体现的人本思想概括有三：一是借鉴费尔巴哈的“主谓倒置”方法，确立人的主体地位；二是批判黑格尔王权观念，阐发人的社会特质；三是透析市民社会与政治国家之间的关系，揭示现代人的二重化存在。

首先，马克思借鉴费尔巴哈“主谓倒置”的方法，批判了黑格尔哲学的唯心主义实质。费尔巴哈在《关于哲学改造的临时纲要》中认为，存在决定思维，其中存在是主词，思维是宾词。这与黑格尔的神秘主义陈述方式形成了鲜明的反差。在黑格尔看来，抽象的精神或理念是绝对的主体，真正的主体是思维而非存在。马克思吸收了费尔巴哈对黑格尔的批判，运用“主谓倒置”的方式，将真正现实的人确立为主体，将抽象的观念定位在谓词的意义上使用。

其次，马克思在批判黑格尔王权观念的同时，阐发了人的社会特质。“‘特殊的人格’的本质不是它的胡子、它的血液、它的抽象的肉体，而是它的社会特质，而国家的职能等等只不过是人的社会特质的存在方式和活动方式”[①]，虽然马克思在手稿中多次使用“类意志”“类存在”等词汇，但是马克思对人的本质强调更多侧重于人的社会性而非自然性，这是其超越费尔巴哈人本思想的地方，更彰显了其独特的人本思想底色。

最后，马克思在透析市民社会与政治国家之间关系的过程中，揭示了现代人的二重化存在。由于市民社会与政治国家的分离，一方面，人们在市民社会中现实的存在，追逐着私

---

①《马克思恩格斯全集》第3卷，人民出版社2002年版，第29页。

人利益，体现着人“孤立式”“原子式”的个体性；另一方面，人们在政治国家中，追寻着普遍性的事务，表征为一种抽象性的存在，体现着人“联结性”“理想性”的社会性。现实生活与抽象生活的矛盾，正是现代人异化生存境遇的真实写照。其根源在于市民社会与政治国家的二元分立，异化消除的关键在于扬弃市民社会本身以及立于其上的政治国家抽象性，使人的社会属性真正复归于人自身，使二者从对立走向统一。

延伸阅读

(1)《〈黑格尔法哲学批判〉导言》，《马克思恩格斯文集》第1卷，人民出版社2009年版。

(2)《国民经济学批判大纲》，《马克思恩格斯文集》第1卷，人民出版社2009年版。

深度思考

(1)《黑格尔法哲学批判》缘何是一部“未完成”的著作？

(2) 马克思对“市民社会”概念的理解与黑格尔相比有何不同？

(3) 马克思的立法权批判对当代中国“以人民为中心”的法治建设有哪些启示意义？

第 三 章

《黑格尔法哲学批判》的重要论题：**市民社会与政治国家**

市民社会与政治国家的关系是《黑格尔法哲学批判》中的重要论题。虽然早在古希腊时代哲人就已开始思考城邦、政治社会等概念，但现代意义上的市民社会概念最早还是由黑格尔提出的。黑格尔首次将市民社会与政治国家相分离，这是黑格尔《法哲学原理》深刻之处；但是，黑格尔也仅止步于此，并未充分阐释市民社会与政治国家分离的历史过程和本质，市民社会与政治国家在黑格尔那里仍然统一于国家的观念。马克思在《批判》中对黑格尔《法哲学原理》第261—313节阐述专制王权、官僚的行政权、狭隘的立法权等问题进行分析和批判，并提出市民社会决定政治国家，而不是政治国家决定市民社会的基本结论。

一、国家主权与人民主权

在《批判》中，马克思批判了黑格尔关于王权的观点。黑格尔的王权理论主张"主权在君"，马克思否定了这一君主主权论思想，提出"人民主权"论，即"主权在民"。

（一）"主权在民"与"主权在君"

在西方政治思想史上，"主权在民"与"主权在君"两种截然不同的理念形成鲜明对比。两种政治理念的分野在于，国家权力来源于或掌握于君主还是人民。"主权在君"理念认为权力集中于君主，君王掌握最高权力；"主权在民"则认为人民是国家最高权力的来源。其中，霍布斯与让-雅克·卢梭的理论是两种观念的代表。霍布斯"绝对权威"的理念主张"主权在君"，他赋予主权者一种不受其他权力限制的最高权力。霍布斯预设了一个无序而混乱的自然状态，在这个状态下，人与人总是互相为敌："在没有一个共同权力使大家慑服的时候，人们便处在所谓的战争状态之下。"[①]为了克服这种无政府的混乱，他将国家秩序的稳定与最高权力的统一视为决定性因素，个人应绝对服从于君主的权威。因而，必须建立一个君主拥有最高权力的政体。

与霍布斯不同，卢梭在西方政治思想史上第一次提出"主权在民"的主张。他将神圣的国家主权赋予人民共同体，并将这种权力视为契约政府形成的根源及其正当性的依据。在卢梭那里，国家的主权属于人民，只有人民才是国家真正的主人，政府仅仅是代理人，主权是"公平的约定"，它对一切人都是共同的——"只要臣民都只服从这样一个约定，他们就不是在服从任何一个个人，而是在服从他们自己的意志。"[②]如果说霍布斯将主权的绝对性、不可分割性等属性赋予了君主，卢梭则将其完全交给了人民。

除了霍布斯与卢梭，其他政治哲学家也对"主权在君"或"主权在民"做了探讨，如黑格尔在《法哲学原理》中就认为主权作为一种主观性的思想应当依附于君主这一主体才能够真正存在。显然，马克思对此并不认同，他批判了黑格尔的王权理念，坚持人民主权的观点。

---

① 霍布斯：《利维坦》，黎思复、黎廷弼译，商务印书馆1985年版，第94页。

② 卢梭：《社会契约论》，李平沤译，商务印书馆2011年版，第37页。

知识链接 ……………………………………

★ 人民主权理论 ★

欧洲历史上曾出现过三次影响深远、波澜壮阔的思想解放运动。其中,17—18世纪的启蒙运动主张批判封建王权、神权,追求个人自由、权利平等和政治民主,对西方近代经济、政治产生了关键影响。启蒙运动的中心在法国,代表人物有卢梭、伏尔泰、孟德斯鸠等。"主权在民"的思想便是随着启蒙运动进一步发展起来的。

"人民主权"或"主权在民",即国家或政府的最高权力来源于和最终属于人民。卢梭是人民主权理论集大成者,他在代表作《论人类不平等的起源和基础》《社会契约论》中提出了"自然状态""公意"等概念。卢梭认为,人民通过转让权利订立社会契约,国家由契约而产生,由此他提出"人民主权"的思想。

人民主权意味着人民能够参与到国家权力的运转和事物决策中,人民能够共享社会发展的成果,人民能够有效地监督国家权力,国家是为人民服务的。人民主权理论是资产阶级民主思想之核心,为资产阶级反对封建君主专制提供了重要的思想武器。

(二)黑格尔的王权理论:王权是其他一切权力的归宿和开端

在国家与个体关系上,如何统一普遍性与特殊性的问题是无法回避的。黑格尔把国家理解为显示出来的自知的实体性意志的伦理精神,认为在普遍性和特殊性的关系中,普遍性占据主导地位。

在君主立宪制国家中,黑格尔十分推崇王权的地位,他认为王权是国家的核心。王权作为自我规定的最后决断的环节，是国家之中一切现实性的开端。黑格尔是如此论证的，政治国家中的各个环节都是伦理实体，各个环节之间有一种实体性的统一关系，只有在这种关系中，各个环节的权力和职能才能被确定。国家的政治活动需要个人的参与，但是个人是作为普遍客观的事物参与国家活动的，因而，国家不是个人的特殊意志指向，而是在普遍性和客观性层面上活动的实体性精神。黑格尔说国家的主权最初“只是作为确信它自身的主体性和意志所具有的一种抽象的并在此限度内是无根据的自我规定而实存”[①]。但是，他又进一步指出，在已经发展到实在合理性这个阶段的国家制度中，“概念的三个环节中的每一个都具有它自为地、现实地筛选出来的形态。因此，整体的这一绝对作决断的环节就不是一般的个体性，而是一个个体，即君主”。[②]也就是说，他认为，王权在根本上被视为单一个体(君主)的意志，个人的意志(君主)就是王权。尽管君主是国家人格的现实体现，但国家人格与君主本人的个性毫无联系。国家人格只是作为普遍物的主观性，并不与个人的特殊性发展联系。那么，哪个具体的人成为君主是无关紧要的：“在一个妥善秩序化的君主制中唯有法律是客观的方面，而君主只是把主观的‘我要’加到法律上去。”[③]

总的来说，黑格尔在《法哲学原理》中主要从三个方面为王权进行了辩护。首先，国家必然拥有统一的主权，而主权必然在君；其次，君主是凭出生所决定的；最后，君主的产生是世袭制而非选举制的。对这三个方面，马克思一一进行了批驳。

①② 《黑格尔著作集》第7卷，邓安庆译，人民出版社2016年版，第422页。

③ 《黑格尔著作集》第7卷，邓安庆译，人民出版社2016年版，第428页。

（三）马克思的批判："民主制是君主制的真理"

在《批判》中，马克思摘录和评注了黑格尔关于王权的观点。他认为黑格尔的王权观念本质上就是"任意是王权"或者"王权是任意"，他指出："王权观念，按照黑格尔对它的阐发，不外是一种任意即意志决断的观念。"[①]通过批判黑格尔的王权理论以及指出黑格尔学说的矛盾之处，马克思阐述论证了其人民主权思想。

首先，黑格尔虽然对君主的这一王权代表的主观性进行了限定，但其主体依然是个人，立足于君主个人的王权和个人的任意本质上并无区别。马克思揭露出，黑格尔把国家主权和普遍意志当作单一个体即君主意志。"主权在君"实际上意味着君主是国家的人格、是人格化的主权，而其他所有人都被排除在国家主权和国家意志之外，导致的结果是——"朕即国家"。黑格尔还维护王权的客观存在，例如国家权力、职能等。它们都在自身发展的过程中归于国家的统一，这意味着这些客观方面实际上都是君主意志的外化。在马克思看来，这表明了主权的自我确信和真理性其实是没有任何依据的，它仅仅是一种观念性的存在。黑格尔只是通过君主的方式来实现国家主权的真理性。

其次，黑格尔在阐述国家和个人的关系时充满了神秘主义色彩，他运用了一种主谓颠倒的论述方法。黑格尔从不研究国家这一现实存在，而是将国家通过某种神秘色彩解释为主语。在马克思看来，主观性是对主体性质的概括，是主体的

---

①《马克思恩格斯全集》第3卷，人民出版社2002年版，第33页。

谓语。而黑格尔却将两者的位置颠倒过来，将主体理解为是对主观性的概括，是它的谓语。如此一来，便破坏了二者之间的内在关系。主体失去了自身的特有性质，而成为一种描述自身的谓语。马克思表示，黑格尔总是玩弄文字游戏，例如，黑格尔“不说君主的意志是最后决断，却说意志的最后决断是君主”①。黑格尔以一种晦涩的语言方式进行论述，这种论述方式易被理解为抽象的神秘主义。

再次，黑格尔认为，君主自出生便天然地拥有王权，这是一种无根据的论断。“基于出生”、君主世袭表面上似乎防止了王位出缺时的派系倾轧，实质上是任意的、毫无必然性的。假如君主和其他人最大的区别就是他的出生和肉体，君主只能通过繁衍来延续，将政治活动归结为自然界本能的繁衍传承则是非常不严谨的。在马克思看来，人一出生就是君主的论断不能成为真理，这不过是黑格尔为了论证自身学说的逻辑所臆想出来的。

最后，马克思认为黑格尔的王权论断无法自圆其说，黑格尔关于王权某些客观方面的阐述确有可取之处，但黑格尔的解释却充满了矛盾。他指出，黑格尔认为君主无须对决定的后果承担责任。但是，如若君主违背了国家制度和法律的统一性，那么君主无须承担责任的特权也就终止了。王权本身就是体现国家整体性和统一性的存在，而正是这些法律和国家制度本身使君主拥有了这种特权。显然，它们是自相矛盾的。

“主权在民”和“主权在君”两种完全对立的理念，在国家

① 《马克思恩格斯全集》第3卷，人民出版社2002年版，第34页。

制度层面反映为民主制和君主制的对立。马克思分别用类与种来形容民主制和君主制，如果说民主制是类，那么君主制就是种，“并且是坏的种”[①]；如果说民主制是内容与形式的统一，那么君主制仅仅是形式而已了。马克思运用费尔巴哈“主谓倒置”的方法，指出民主制不同于君主制的根本之处：“正如同不是宗教创造人，而是人创造宗教一样，不是国家制度创造人民，而是人民创造国家制度。”[②] 一种国家制度愈民主，便愈具备真理性。君主制展现的是部分决定整体，民主制则是部分与整体的统一。

二、狭隘立法权与普遍立法权

狭隘的立法权思想是黑格尔思辨国家学说的重要组成部分。在《批判》中，马克思花了大部分篇幅对黑格尔的立法权思想进行了分析和批判，主要从立法权是否高于国家制度、立法权是否是王权的附庸、立法权是否是人民普遍意志的体现等角度来展开。

（一）立法权："高于"国家制度还是"从属于"国家制度？

立法权与国家制度之间存在着一个二律背反的问题。一方面，立法权是组织普遍物的权力，是确立国家制度的权力，它“高于”国家制度；另一方面，立法权是按照国家制度确立起来的权力，“从属于”国家制度，国家制度对立法权来说就是法律。黑格尔曾试图解决这个二律背反，他提出：“立法权所涉及的是法律本身，在此限度内法律需要进一步的规定，而且按

① 《马克思恩格斯全集》第3卷，人民出版社2002年版，第39页。
② 《马克思恩格斯全集》第3卷，人民出版社2002年版，第40页。

其内容来说它完全是具有普遍性的国内事务。立法权本身是国家制度的一部分，它以国家制度为前提，因此，国家制度本身自在自为地不由立法权直接规定，但是它通过法律的不断完善、通过普遍行政事务所固有的前进运动的性质，得到进一步的发展。”[①]但是，黑格尔并没有解决问题，而又引发了新的二律背反，即立法权的作用和它的目的之间的二律背反——黑格尔“把立法权的作用即它的按照国家制度确定的作用置于同它的按照国家制度确定的使命相矛盾的境地”[②]。按照黑格尔的规定，立法权的“应然”和“实然”之间是存在矛盾的，一方面，从法的观点来看，国家制度是固定的存在物，但实际上它却处于一个生成的过程；另一方面，国家制度应当是不变的，但实际上它却发生着改变，现象和本质产生了矛盾。

对此，马克思则认为国家制度和立法权之间的抵触，本质上是国家制度本身的自相冲突，是国家制度这一概念中的矛盾，解决立法权与国家制度的二律背反，关键在于能否使人民提升为政治国家（法律和国家制度）的原则。马克思指出，人民是立法主体，也是国家制度的根本原则：“国家制度一旦不再是人民意志的现实表现，它就变成了事实上的幻想。”[③]一方面，人民是立法主体，人民有权根据自己的意志制定国家制度。立法权代表人民意志，国家应在人民意志的指导下建立自己的国家制度，建立符合人民利益的新的政治制度。另一方面，国家制度也处在不断变化发展中。人民立法权决定了

①《黑格尔著作集》第7卷，邓安庆译，人民出版社2016年版，第439页。

②《马克思恩格斯全集》第3卷，人民出版社2002年版，第71页。

③《马克思恩格斯全集》第3卷，人民出版社2002年版，第73页。

国家制度，但国家制度又是不断变化发展的，不论它如何变化发展，只要它顺从人民意志，符合人民利益，就是合理的。国家制度一旦不合理，人民有权立足于自身意志、现实利益及时调整或改变国家制度。总之，在马克思看来，立法权是人民意志自由的最高表达方式，人民有权制定国家制度，且能根据时代发展和自身意志需求随时改变国家制度。

知识链接

★ 立法权与国家制度的二律背反 ★

关于立法权与国家制度的关系，有两种截然对立的观点。一种观点认为立法权高于国家制度，因为立法权是组织普遍东西的权力，是规定国家制度的权力。立法权应该存在于或已经存在于国家制度之前或之外。如卢梭认为，立法权属于人民，国家只是作为立法的执行者而存在。

另一种观点认为立法权从属于国家制度，国家制度是以国家自身理念为目的和原则的，只要它依据自身概念本性规定自己的活动，它就是合乎理性的，所以国家制度不以他者为原则，不受他者规定的权力而活动。立法权是以国家制度为前提的，它是按照国家制度确立起来的权力，国家制度通过各种法律来规定立法权的方向和边界。如黑格尔主张立法权属于国家，人民只是立法的参与者。

这两种观点都割裂了立法权与国家制度的关系，必然是"二律背反"的。马克思敏感地觉察到了这一问题，他提出了两种立法权的概念，即国家制度内的立法权和国家制度外的立法权。国家制度外的立法权，是制定宪法的权力，这一权力属于全体人民，不受现行法律制约。国家制度内的立法权，是由宪法产生的权力，这一权力属于国家立法机关，受宪法制约。由此，“两种立法权”解决了国家制度与立法权的冲突。

（二）黑格尔：立法权是王权的“附庸”

在黑格尔法哲学体系中，立法权属于国家的第三个环节。他把立法权界定为一个包含作为最高决断机构的君主权、作为咨议部分的行政权和等级要素这三个环节的整体。其中，等级要素不同于君主权和行政权的区别在于，它的使命是“使普遍事物不仅自在地而且自为地在主观、形式的自由环节，即在作为许多人的观点和思想的经验普遍性的公共意识中达到实存”[①]。黑格尔指出，人民并不清楚自己需要什么，行政机关在没有各等级的情况下也能够正常运转，等级要素事实上仅仅是行政权的补充。这意味着，这里的“普遍事物”不是人民的现实事物。他力图运用等级要素的中介作用调解各个利益集团和新兴市民社会阶级之间的利益冲突。为此，他设想了三个等级，即贵族等级、普遍等级和工商业私人等级，“构成各等级真正意义的东西，就是国家通过它们而进入到人民的主观意识中，而人民也从此开始参与国事”[②]，以此实现国家和人民之间矛盾的和解。在这里，黑格尔实际上深刻地将政治国家和市民社会进行了二元分离。但是，在立法权和国家制度的关系上，黑格尔又将立法权当作国家制度的一部分，服务和从属于国家制度，在这里他将表象当成了本质，这是他的不足之处。

---

①《黑格尔著作集》第7卷，邓安庆译，人民出版社2016年版，第442页。

②《黑格尔著作集》第7卷，邓安庆译，人民出版社2016年版，第444页。

黑格尔认为，国家制度是以国家自身理念为目的和原则的，“制度是理性的，仅就国家依据概念的本性在自身中区分和规定它的效力而言，虽然如此，导致这些权力中的每一种都因它们对制度内的其他环节有实效并包含其他环节而自成总体，甚至，由于它们表现的是概念的区分，它们就全然保持在制度的理想性中并只构成一个个体性的整体”[①]。那么，按照这种理解，如若现实存在的国家制度与黑格尔自在自为的国家理念产生矛盾，现实的国家就不能称为国家。我们所得到的“不是国家制度的概念，而是概念的制度。不是思想决定于国家的本性，而是国家决定于现成的思想”[②]。即使黑格尔进一步解释，立法权的行使是由国家制度决定的，国家制度并不在立法权的组织范围当中，但他又认为立法权可通过法律的不断完善和发展来间接地影响国家制度。立法权虽然不能完全作用于国家制度，但可以逐渐地影响国家制度。这就表明了它实际所做的与形式上所要求的并不相符。按照国家制度的要求，其自身是无须变化的，但事实上它的本质却在发生变化，而它的存在形式却没有任何变化。如此一来，国家制度的实质内容和外在形式就会自相矛盾。国家制度的形式本就是有意为之的存在，但其实质内容却是无意识的存在。但黑格尔没有消除原有矛盾，而且还把它变成了另外的矛盾，即国家制度规定的立法权与实际上的立法权、立法权的规范行为与现实行为之间的矛盾等。

---

①《黑格尔著作集》第7卷，邓安庆译，人民出版社2016年版，第411页。

②《马克思恩格斯全集》第3卷，人民出版社2002年版，第24页。

（三）马克思的批判：立法权应是人民普遍自由意志的体现

马克思敏锐地觉察到了黑格尔理论中的冲突，他认为真正的法律应规定现存的事物和个人。既然国家也是现存的事物，那么法律对国家的存在也具有一定的规范作用，如此立法权就能够改变国家制度。在黑格尔那里，国家是自由精神的象征，但实际上他总是运用与自由相对立的抽象理性处理问题。对此，马克思表示，既然国家被黑格尔理解为自由的最高存在，那么，为何国家的存在既不受法律的限制，也不受自由的限制？马克思指出，既然意识到现存事物的本质规定与立法权的要求相矛盾，就应当承认法律对国家也有规定作用。并且，历史地看，国家制度的变化并不是自行运动完成的，它的自行变化没有任何说服力，也不能表明任何问题，国家制度的自行运动变化是不可靠的，“诚然，全部国家制度总是这样变化的：新的要求逐渐产生，旧的东西瓦解，等等，但是，要建立新的国家制度，总要经过一场真正的革命”①。

而立法权与国家制度之所以会产生二律背反，马克思认为根本原因是市民社会与政治国家的分离。在批判黑格尔的立法权理论过程中，针对市民社会和政治国家分离的社会现实，马克思通过区分两种立法权（人民立法权和立法机关立法权）解决了立法权和国家制度之间的二律背反。人民立法权是组建国家制度的权力，即制定宪法的权力，不受现行法律制度的制约，它只能属于人民全体；立法机关的立法权是在现行国家制度框架内制定普遍性事务规则的权力，是由宪法所产

①《马克思恩格斯全集》第3卷，人民出版社2002年版，第72页。

生的权力，受宪法和人民意志的制约。因此，人民立法权是始源性的法权，它创立了国家制度，进而派生出立法机关的立法权。在黑格尔法哲学体系中，立法权实际上已经不是真的具有普遍性的人民主权，因为它要解决的问题根本不是有关国家制度和理念的问题，而只是法律本身的事物。马克思认为，黑格尔之所以认为立法权不过是王权的“附庸”，原因在于现存的国家制度“只不过是政治国家和非政治国家的妥协，因此它本身必然是两种本质上相异的权力之间的一种契约”。可见，立法权不能完全体现人民的法权。马克思最后概括说，立法权并不创立法律，它只披露和表述法律。

国家本是代表一切事物的普遍性存在，而现实中却成了与市民社会相分离的特殊存在。既然现存国家制度与本质规定不相符，就应该通过革命去建立新的国家制度。总之，在马克思看来，立法权是人民意志自由的最高表达方式。虽然黑格尔的论述都是以二者的分离为出发点，但他并不理解这一分离的过程和本质。黑格尔仅仅是将两者的分离看作国家为了实现自身理念而自然分化的两个区域，而这种分离只是形式上的，实质上二者仍然统一于国家理念之中，如此他便把现实中的分离理解为观念中的统一。马克思认为解决该分离的根本途径就是人民直接参与国家事务。他进而提出，要解决国家制度与市民社会的矛盾，必须“使国家制度的运动，使前进成为国家制度的原则，从而必须使国家制度的实际承担者——人民成为国家制度的原则”[①]。

①《马克思恩格斯全集》第3卷，人民出版社2002年版，第72页。

三、市民社会与政治国家的二分

早在古希腊时期，“市民社会”的概念其实已经出现，诸如城邦等即是早期的市民社会。一般来说，市民社会是与原始自然状态相对立的。在18世纪的社会契约论思想家看来，市民社会是可以抗衡封建专制国家的社会状态，事实上，他们也将他们构建的契约国家称之为市民社会。黑格尔则对此表示否定，他认为社会契约论不能解释与国家相关的政治活动。因此，他首次对国家和市民社会进行了分离。在他看来，市民社会属于物质生产活动领域，是处于国家和家庭之外的活动范畴。在论述市民社会与国家之间的关系中，黑格尔认为市民社会的存在是国家实现自身的运动过程，国家决定市民社会。而马克思认为，国家的存在正是依赖于市民社会的发展，它使国家具有现实性的可能。市民社会是国家真正的存在方式，对国家有决定作用。坚持国家与市民社会二分的立场，对于马克思完成从国家到市民社会的转变以及走向创立唯物史观具有重要意义。

（一）黑格尔的区分：市民社会与政治国家的分离

黑格尔将市民社会与政治国家做了严格区分。他认为，市民社会是社会成员满足个人需要的场所，是各个成员为了保障人身与财产等特殊利益而实现的联合。不同于市民社会，国家是维持市民社会整体利益与安全秩序的具有普遍意义的保障。国家不是人的发明物与创造物，而是伦理精神发展的最高阶段，“是伦理理念的现实性，这个伦理的精神，作为启示出来的、自身明白的、实体的意志，这种意志思考自身并知道自身，而它所知道的,要在它所知的限度内来履行"[1]。在黑格尔那里,国家成为存在于尘世中的神圣代表与理念,在政治生活领域中享有最高权威。在他那里,国家决定了市民社会。黑格尔认为,国家是普遍利益的代表,而市民社会和家庭则是有限定的理论范畴。它们是国家自我运动的结果,最后又返回国家。

黑格尔在《法哲学原理》"国家"章节集中阐述了他市民社会与政治国家分离的观点。首先,国家有着极为显赫的地位和威望。它是个人、家庭和市民社会的内在规定性,对个人、家庭具有统摄作用。他认为国家是自在自为的存在,倘若个人能够变成国家成员,才算是真正意义上的实现自由,这也是个人最崇高的追求和向往。也就是说,国家并非是社会契约论的结果,也不是在抽象理念中产生的,它是神圣不可侵犯的。其次,国家只是符合国家观念的理性存在,并非国家的现实存在。也就是说,黑格尔所谈论的国家是脱离了现实社会活动的、仅表现其运行以及存在方式的意识形态。再次,市民社会的发展是现代国家的本质要求,市民社会的发展促进了现代国家制度的不断完善。在柏拉图的理想城邦中,柏拉图只是单纯地认识实体,不深入了解个人;或者在那些抽象理性所构建的国家中,国家被理解为个人利益的代表,其概念依然被掩盖。以上两者皆不是黑格尔所认为的"现代国家"。现代国家制度正是基于市民社会的发展才得以完善和进步。唯有市民社会发展到一定阶段,国家制度才能真正实现。但值得注意的是,在黑格尔那里,市民社会这一"基础"对国家并没有

①《黑格尔著作集》第7卷,邓安庆译,人民出版社2016年版,第382页。

决定意义,而是国家发展自身的一个分化阶段。最后,黑格尔反对三权分立,认为国家是一个具有自主性的有机整体。他认为仅仅依靠抽象理性理解认识国家政权划分的本质是不可取的,他认为国家是一个单一的整体,各项权利的根本来源是国家观念自身的内在本质规定,故此国家的每一项权利都自成一个整体,彼此之间相互包含相互制约。同时,黑格尔还认为,除了作为整体性的存在,国家还是具有自主性的存在。家庭和市民社会是国家在自行运动过程中分化出来的两个阶段,国家自然也就成为超越二者的普遍存在。这个自主性的有机体不但具有主观方面的存在,还有客观方面的存在。主观方面即为政治情感,客观方面即为政治制度。国家的活力共同体现在这两方面。此外,黑格尔还将国家制度的产生归于民族意识的自我形成和发展,认为每个民族都应有自己的国家制度,还表示国家制度是时代的产物,不可被制造,具有绝对的无上性。

(二)马克思的扬弃:将黑格尔颠倒了的关系颠倒回来

市民社会和政治国家的关系可以说是《批判》中最重要的论题。黑格尔把观念变成独立主体,把家庭和市民社会对国家的现实关系变成“观念的内在想像活动”。马克思批判了黑格尔这种把现实关系主谓颠倒的思辨唯心主义,在黑格尔那里:“制约者被设定为受制约者,规定者被设定为被规定者,生产者被设定为其产品的产品。”[①]他指出黑格尔颠倒了国家与市民社会之间的关系,提出家庭和市民社会都是国家的前提:

①《马克思恩格斯全集》第3卷,人民出版社2002年版,第12页。

"政治国家没有家庭的自然基础和市民社会的人为基础就不可能存在。"[①]

对于黑格尔国家理论的其他观点，诸如现代国家的区分等，马克思加以肯定并吸收了部分观点。但是，对黑格尔关于家庭、市民社会与国家关系的论断，马克思进行了尖锐而深刻的批判。黑格尔认为，国家、家庭和市民社会之间，国家起着决定性的作用，家庭和市民社会只不过是国家发展自身过程中的两个分化阶段，家庭和市民社会依附于国家，国家则是超越二者的自在自为的理性存在。马克思则对家庭和市民社会的存在和发展做出了不同的解释，他认为，家庭和市民社会是国家不可或缺的重要组成部分，并对国家有决定作用。真正活动着的、现实的主体是家庭和市民社会，"家庭和市民社会使自身成为国家"[②]。因此，尽管黑格尔明确了市民社会与政治国家的二分，但他从伦理精神的发展论证国家的产生，忽视了从生产和交往中发展起来的社会组织的重要性。

马克思还从方法论的视角指出黑格尔的论证也是"头足颠倒"的，他指出："具体的内容即现实的规定成了形式的东西，而完全抽象的形式规定则成了具体的内容"，黑格尔"不是用逻辑来论证国家，而是用国家来论证逻辑"[③]，他的论证中所运用的表述内容带有神秘主义和泛神论色彩。在黑格尔那里，国家作为具有自主性的有机体存在，观念是其运作的动力，事实经验被抽象的理念推演所替代，恣意的措辞和诡辩表

①《马克思恩格斯全集》第3卷，人民出版社2002年版，第12页。

②《马克思恩格斯全集》第3卷，人民出版社2002年版，第11页。

③《马克思恩格斯全集》第3卷，人民出版社2002年版，第22页。

现得淋漓尽致。个人和国家的关系本是最真实的经验，却不被黑格尔重视——国家的产生并不是来自具体的人的活动，而是观念自身的发展和运行。显然，这里的个人和社会对国家的作用被理解为观念自身的发展过程，是观念为实现自身目的从自身所分化出来的结果。马克思认为这是一种既隐蔽又显现的过程。显现的过程就是被黑格尔所忽视的现实的人的活动，隐蔽的过程就是观念在过程中的自主活动。事实上，二者的区别在于文字描述的不同，黑格尔就是这样以诡辩的方式将二者统一了起来。

通过扬弃黑格尔市民社会与国家关系的观点，马克思认识到在近代社会，国家与市民社会已彻底分裂，他揭示了黑格尔“头足颠倒”的国家观幻象，得出市民社会决定政治国家、市民社会的秘密存在于私有财产的重要结论。

延伸阅读

(1) 杨学功：《马克思〈黑格尔法哲学批判〉研究读本》，中央编译出版社2017年版。

(2) 高兆明：《黑格尔〈法哲学原理〉导读》，商务印书馆2010年版。

深度思考

(1) 马克思是如何肯定又是怎样批判黑格尔关于市民社会和政治国家矛盾的论述的？

(2) 辩证分析市民社会与政治国家的关系对当代中国的现实意义。

第四章

《黑格尔法哲学批判》的价值评价：历史影响与现实意义

《黑格尔法哲学批判》自1927年正式发表后，在很长一段时间内曾被学者们所忽视，也未像《1844年经济学哲学手稿》一样，在发表后引起广泛的研究热潮。但是，《批判》中包含的丰富内容与思想却不会因此褪色。随着20世纪后期以来马克思文本创作史、市民社会理论和政治哲学研究的勃兴，《批判》越来越显示出其思想上的前瞻性和理论价值，逐渐成为学界研究和关注的重点。时至今日，《批判》仍能为新时代中国特色社会主义实践提供理论指导和建设性启示。

一、《批判》在马克思主义思想发展史中的作用

《批判》写作于1843年马克思在克罗茨纳赫居住时期，这一时期正是马克思早期思想的重要转折点。作为一部思想过渡时期的著作，马克思在写作《批判》的过程中实现了思想上的初步转变，走向了唯物主义，并在批判黑格尔法哲学的同时为历史唯物主义的发现打下了重要的思想前提和理论基础。

（一）马克思实现向唯物主义的转变

列宁曾说："马克思在1844—1847年离开黑格尔走向费尔巴哈，又超过费尔巴哈走向历史（和辩证）唯物主义。"[①]这一说法反映了马克思早期思想发展的基本情况。但是，从实际的文本来看，青年马克思"离开黑格尔走向费尔巴哈"这一思想阶段在1844年之前应该就已经开始。

在《莱茵报》时期，虽然马克思还是黑格尔哲学的追随者，观察问题的基本立场仍然是黑格尔的理性主义和唯心主义，

①《列宁全集》第55卷，人民出版社2017年版，第293页。

但此时的马克思已经与青年黑格尔派产生了分歧。与此同时，马克思还在实际斗争中遇到了让其“苦恼的疑问”，即国家政治制度与物质利益关系的问题，这使得马克思对黑格尔的法哲学产生了怀疑。因此，马克思在1843年4月《莱茵报》被普鲁士政府查封以后，便又从“社会舞台退回书房”，按照马克思1859年在《〈政治经济学批判〉序言》中回忆所写下的：“为了解决使我苦恼的疑问，我写的第一部著作是对黑格尔法哲学的批判性的分析，这部著作的导言曾发表在1844年巴黎出版的《德法年鉴》上。”[①]因此，可以看出马克思早在1843年时就已经开始与黑格尔发生了思想上的偏离，而《批判》正是这一时期马克思对黑格尔法哲学进行系统批判的产物。

在写作《批判》的过程中，马克思实现了向唯物主义的转变。在这一时期，费尔巴哈对黑格尔唯心主义的批判对马克思的思想发展产生了重要的促进作用。在马克思写作《批判》之前，费尔巴哈已经陆续写作和发表了《黑格尔哲学批判》《基督教的本质》和《关于哲学改造的临时纲要》等著作，对黑格尔的唯心主义哲学展开了批判，特别是其中的后两本著作，对处于苦恼疑问中的马克思产生了重大的思想冲击。恩格斯曾在《路德维希·费尔巴哈和德国古典哲学的终结》一文中提到了《基督教的本质》在当时带来的巨大影响：“这时，费尔巴哈的《基督教的本质》出版了。它直截了当地使唯物主义重新登上王座，这就一下子消除了这个矛盾。自然界是不依赖任何哲学而存在的；它是我们人类（本身就是自然界的产物）赖以生

①《马克思恩格斯全集》第31卷，人民出版社1998年版，第412页。

长的基础；在自然界和人以外不存在任何东西，我们的宗教幻想所创造出来的那些最高存在物只是我们自己的本质的虚幻反映。魔法被破除了；'体系'被炸开并被抛在一旁了，矛盾既然仅仅是存在于想象之中，也就解决了。——这部书的解放作用，只有亲身体验过的人才能想象得到。那时大家都很兴奋：我们一时都成为费尔巴哈派了。"[①]同时，费尔巴哈在《关于哲学改造的临时纲要》中对黑格尔思辨哲学的"颠倒"也对马克思产生了直接的影响。费尔巴哈在他的著作中认为："思维与存在的真正关系只是这样的：存在是主体，思维是宾词。思维是从存在而来的，然而存在并不来自思维。"[②]在费尔巴哈看来，黑格尔将思维与存在的关系倒置了，因此，"我们只要经常将宾词当作主词，将主体当作客体和原则，就是说，只要将思辨哲学颠倒过来，就能得到毫无掩饰的、纯粹的、显明的真理"[③]。马克思在阅读了这本著作之后大受鼓舞，他在1843年3月13日给阿尔诺德·卢格的书信中说道："费尔巴哈的警句只有一点不能使我满意，这就是：他强调自然过多而强调政治太少。"[④]也因此，马克思在写作《批判》的过程中，已经开始走向了费尔巴哈，并初步运用唯物主义对黑格尔法哲学的"头足颠倒"进行了批判和颠倒。

从《批判》的内容上来看，虽然这一时期马克思对唯物主

---

①《马克思恩格斯文集》第4卷，人民出版社2009年版，第275页。

②《费尔巴哈哲学著作选集》(上卷)，荣震华、李金山等译，商务印书馆1984年版，第115页。

③《费尔巴哈哲学著作选集》(上卷)，荣震华、李金山等译，商务印书馆1984年版，第102页。

④《马克思恩格斯全集》第47卷，人民出版社2004年版，第53页。

义的认知基本处于费尔巴哈人本主义的立场上，但他却并未像费尔巴哈那样，仅仅将对黑格尔的批判停留在唯物主义自然观领域，而是运用了"主谓倒置"的原则，对黑格尔的市民社会与国家之间的关系进行了唯物主义立场上的颠倒。马克思在《批判》中说明了黑格尔法哲学中国家和市民社会关系的倒置："家庭和市民社会都是国家的前提，它们才是真正活动着的；而在思辨的思维中这一切却是颠倒的。"[①]同时，马克思在批判黑格尔的基础上，对两者的关系进行了新的阐释："政治国家没有家庭的自然基础和市民社会的人为基础就不可能存在。它们对国家来说是必要条件。"[②]尽管《批判》中马克思还没有完全抛弃理性主义的出发点，对市民社会的认知还处于黑格尔构建的理论体系内，但此时的马克思已经站在了唯物主义的立场上，正确认识到了政治国家与市民社会之间的关系，而且就马克思在法哲学和国家观领域运用唯物主义进行分析这一点而言，甚至还超出了当时的费尔巴哈。

（二）马克思走向历史唯物主义的起点

在《批判》中，马克思运用了一般唯物主义的原则批判了黑格尔在国家和市民社会关系上的"颠倒"观点，初步提出了"市民社会决定国家"这一命题，但是，这并不代表马克思已经清楚认识到了"经济基础决定上层建筑"这一历史唯物主义的基本命题。写作《批判》时的马克思还并未清楚地认识到黑格尔在历史观上的唯心主义，而只是在批判黑格尔法哲学的过程中不自觉地将研究关注的重心从"国家"转向了"市民社会"

① 《马克思恩格斯全集》第3卷，人民出版社2002年版，第10页。

② 《马克思恩格斯全集》第3卷，人民出版社2002年版，第12页。

领域，并由此产生了历史唯物主义思想的萌芽。因此，我们可以说，《批判》是马克思开始走向历史唯物主义，开始其哲学创新的第一步。

一方面，马克思提出“市民社会决定国家”这一命题主要是为了批判黑格尔的神秘主义国家观，却并不是针对其在历史观领域的唯心主义，甚至马克思也没有明确地意识到这一点。马克思批判黑格尔主要是因为黑格尔把理念这一抽象的逻辑范畴当作了主体。当黑格尔在论述家庭、市民社会向国家过渡的时候，这种神秘主义暴露得尤为明显。马克思这样批判黑格尔：“过渡不是从家庭等等的特殊本质以及从国家的特殊本质中引申出来的，而是从必然性和自由的普遍关系中引申出来的。这完全是在逻辑学中所实现的那种从本质领域到概念领域的过渡。”[①]可以看出，此时马克思已站在一种一般唯物主义的立场上，批判黑格尔把家庭、市民社会对国家的作用，归结为逻辑所决定的观念运动的做法，却还没有认识到这实际上是一种历史观上的唯心主义，更没有为人类社会历史发展找到真正的物质基础。

另一方面，马克思在写作《批判》时已经走向了费尔巴哈，却尚未认识到费尔巴哈人本主义的局限，因此也不可能真正地提出历史唯物主义的基本原理。马克思在《批判》中正确地认识到了国家和市民社会之间的关系，但由于马克思此时还没有对政治经济学进行系统、深入的研究，对市民社会这一概念的理解还没有建立在科学的基础上。马克思在《批判》中写

①《马克思恩格斯全集》第3卷，人民出版社2002年版，第13页。

道:“如果在阐述家庭、市民社会、国家等等时把人的这些社会存在方式看作人的本质的实现,看作人的本质的客体化,那么家庭等等就表现为主体所固有的特质。人始终是这一切实体性东西的本质,但这些实体性东西也表现为人的现实普遍性,因而也就是一切人共有的东西。”[①]这里能够看出,在费尔巴哈的影响下,马克思此时把市民社会作为人的本质的实现,但这种人的本质是费尔巴哈人本主义中所讲的普遍的、抽象的人,并非是历史唯物主义所关注社会历史中现实的人。因此,在真正认识到“市民社会”中所包含的生产关系、经济基础的科学内涵之前,马克思是无法提出对应的历史唯物主义原理的,“市民社会决定国家”与“经济基础决定上层建筑”这两个命题也不能够完全等同。

没有发现历史唯物主义的基本原理,并不能否定《批判》中的思想对于历史唯物主义产生的深远影响。首先,马克思在对市民社会和国家之间关系的颠倒过程中,已经将市民社会置于研究人类社会发展的基础性地位,这使得马克思开始意识到必须从市民社会出发考察社会现象。恩格斯在1869年的《卡尔·马克思》中也提到:“马克思从黑格尔的法哲学出发,得出这样一种见解:要获得理解人类社会发展过程的锁钥,不应当到被黑格尔描绘成‘大厦之顶’的国家中去寻找,而应当到黑格尔所那样蔑视的‘市民社会’中去寻找。”[②]其次,在写作《批判》时,虽然马克思还没有意识到研究政治经济学的重要价值,但是他在研究黑格尔法哲学的过程中,特别是考察私有

①《马克思恩格斯全集》第3卷,人民出版社2002年版,第51—52页。

②《马克思恩格斯全集》第16卷,人民出版社1964年版,第409页。

财产和国家之间关系时，已经触及到了相关的政治经济学问题。这些因素使得马克思在写作《批判》之后不久就开始意识到：“法的关系正像国家的形式一样，既不能从它们本身来理解，也不能从所谓人类精神的一般发展来理解，相反，它们根源于物质的生活关系，这种物质的生活关系的总和，黑格尔按照18世纪的英国人和法国人的先例，概括为‘市民社会’，而对市民社会的解剖应该到政治经济学中去寻求。”[①]也因此，马克思在1843年10月从克罗茨纳赫移居巴黎之后，就开始着手进行政治经济学的研究，实现了从政治国家批判到政治经济学批判的理论视域转换，进而为发现历史唯物主义打下了科学的基础。如同普列汉诺夫所说，“马克思阐明他的唯物主义历史观是从批评黑格尔的法权哲学开始的”[②]。马克思写作《批判》的过程也是开始发现历史唯物主义的过程，在这个意义上可以说，《批判》是马克思走向历史唯物主义的起点。

二、《批判》对西方马克思主义的影响

《批判》在发表后的很长一段时间内并没有引起学者们充分的重视，但是并不代表《批判》中的思想不具备理论活力。实际上，在《批判》中，马克思批判地继承了来自黑格尔的“市民社会”概念，并在此后发现历史唯物主义的过程中，重塑了“市民社会”的科学内涵，这是非常具有理论创新性和生命力的。在马克思之后的时代，资本主义的社会结构发生了新变

①《马克思恩格斯文集》第2卷，人民出版社2009年版，第591页。

②《普列汉诺夫哲学著作选集》第3卷，生活·读书·新知三联书店1962年版，第145页。

化，由于垄断的形成和国家干预的增强，国家对市民社会的渗透不断增强。针对社会结构领域中的特殊变化，西方马克思主义者推进和发展了马克思的市民社会理论，开始在文化意义上界定市民社会。1991年以来，东欧剧变和苏联解体使得各国马克思主义者开始重新思考国家与市民社会的关系问题，“市民社会”概念又成为当代研究的热点之一。

（一）多重含义的市民社会概念及其发展

“市民社会”是一个有着悠久历史的术语。早在古希腊时期，亚里士多德就已经开始使用“市民社会”一词，指的是政治意义上的国家共同体，即与“家庭”相对应的“城邦”。古罗马时期，西塞罗根据当时的社会历史状况，进一步将“市民社会”的概念发展为文明政治共同体，“它不仅指单个国家，而且也指业已发达到出现城市的文明政治共同体的生活状况”[①]。在近代，英法启蒙思想家从自然法与契约思想出发，用“市民社会”指代与自然状态相对的政治社会或国家。而黑格尔那里，市民社会和国家则被分离开来，黑格尔坚决反对把市民社会的各种规定搬到国家领域中来。在黑格尔看来，市民社会只是客观精神的有限形式，而国家则是客观精神的无限形式和最高表现，国家是市民社会的基础，是理念的真正体现。

马克思在写作《批判》时，一方面肯定了黑格尔将市民社会与国家二分的做法，他认为：“黑格尔觉得市民社会和政治社会的分离是一种矛盾，这是他的著作中比较深刻的地方。”但同时马克思也认为，黑格尔错误的是“他满足于这种解决办

① 戴维·米勒、韦农·波格丹诺：《布莱克维尔政治学百科全书（修订版）》，邓正来译，中国政法大学出版社2002年版，第132页。

法的表面现象，并把这种表面现象当作事情的本质”[①]。这表明，马克思在写作《批判》的过程中，实际上与黑格尔一样，是把市民社会和国家二者视作相互分离的，虽然此时马克思对于市民社会和国家关系的具体看法与黑格尔恰恰相反，但在将两者分离的这一前提性理解上却是大致相同的。

在写作《批判》之后，尤其是在巴黎时期马克思系统地研究了政治经济学以后，他对“市民社会”概念内涵的理解发生了较大的改变，按照中央编译局的概括和解释，马克思早期使用的“市民社会”概念包含着两种含义：“广义地说，是指社会历史发展各历史时期的经济制度，即决定政治制度和意识形态的物质关系总和；狭义地说，是指资产阶级社会的物质关系。”[②]这两种含义都可以在马克思的文本找到依据，如马克思在《德意志意识形态》中就曾同时使用这两种含义：“市民社会包括各个人在生产力发展的一定阶段上的一切物质交往。它包括该阶段的整个商业生活和工业生活，因此它超出了国家和民族的范围，尽管另一方面它对外仍必须作为民族起作用，对内仍必须组成为国家。‘市民社会’这一用语是在18世纪产生的，当时财产关系已经摆脱了古典古代的和中世纪的共同体。真正的市民社会只是随同资产阶级发展起来的；但是市民社会这一名称始终标志着直接从生产和交往中发展起来的社会组织，这种社会组织在一切时代都构成国家的基础以及任何其他的观念的上层建筑的基础。”[③]在这里，马克思既使用

①《马克思恩格斯全集》第3卷，人民出版社2002年版，第94页。

②《马克思恩格斯全集》第3卷，人民出版社2002年版，第651页。

③《马克思恩格斯文集》第1卷，人民出版社2009年版，第582—583页。

广义的“市民社会”指称社会物质生活的全部内容，也提到了随同资产阶级发展起来的“真正的市民社会”，即狭义的资产阶级社会。

总的来看，马克思在“市民社会”概念的使用上大致经历了继承和借用黑格尔，到改造和重塑属于历史唯物主义的“市民社会”概念的转变，这一转变的过程正是马克思系统研究政治经济学，为历史唯物主义打下科学基础的过程。马克思运用“市民社会”概念分析和批判资本主义社会，使这一源自古希腊的学术话语展示出了前所未有的理论活力。即使在西方社会进入现代以后，面对科学技术革命为人类社会带来的深刻变化，诸多西方马克思主义者仍然使用市民社会理论分析社会意识形态和文化领域出现的新情况和新问题，这更进一步推动了马克思主义市民社会理论的发展。

（二）从“经济批判”到“社会文化批判”

在马克思之后的时代，资本主义的发展产生了新变化。发达资本主义国家不再完全依靠经济剥削和国家机器来实现对无产阶级和人民的压迫，而是更多地通过掌握意识形态和文化领域的领导权对大众进行灌输和统治。面对这些问题，以葛兰西和哈贝马斯等人为代表的西方马克思主义学者发展了马克思的市民社会理论，他们把市民社会理论关注的中心从经济领域转换为文化和意识形态领域，不再像马克思那样主要是运用市民社会理论对资本主义社会进行“经济批判”，而是更多地转向了“社会文化批判”。

“市民社会”是葛兰西哲学体系中的重要概念。葛兰西在马克思“经济基础—上层建筑”的理论框架中加入了市民社会层面，并把原本应当是代表经济基础的“市民社会”嵌入到了上层建筑之中。葛兰西认为：“对国家的基本认识离不开对市民社会的认识（因为人们可以说国家＝政治社会＋市民社会，即强制力量保障的霸权）。”[①]在他看来，上层建筑包括两个方面：政治社会是国家、政府等政治活动领域，市民社会则是文化和意识形态领域。因此，葛兰西提出：“我们目前可以确定两个上层建筑‘阶层’：一个可称作‘市民社会’，即通常称作‘私人的’组织的总和，另一个是‘政治社会’或‘国家’。这两个阶层一方面相当于统治集团通过社会行使的‘霸权’职能，另一方面相当于国家和‘司法’政府所行使的‘直接统治’或管辖职能。”[②]葛兰西之所以强调从文化和意识形态角度来认识市民社会，是因为他认识到了当时西方社会结构的运动变化。一方面，当代资本主义国家对市民社会的渗透逐渐增加，使得存在于市民社会的矛盾不断政治化，社会问题集中到了文化和意识形态领域；另一方面，随着国家和市民社会之间相互关系的密切，国家即使因为经济因素产生了动摇，市民社会也会成为上层建筑的坚固堡垒。因此，无产阶级在进行武装斗争的同时，还必须进行文化和意识形态的斗争，夺取资产阶级在市民社会中的意识形态领导权。

在葛兰西之后，哈贝马斯继承并发展了西方马克思主义市民社会理论。但与葛兰西不同的是，哈贝马斯虽然也十分重视市民社会在文化和意识形态领域的作用，但又不仅把市民社会归结到文化领域。在哈贝马斯看来，市民社会是随着

① 安东尼奥·葛兰西：《狱中札记》，曹雷雨等译，河南大学出版社2016年版，第217页。

② 安东尼奥·葛兰西：《狱中札记》，曹雷雨等译，河南大学出版社2016年版，第7页。

资本主义市场经济的发展而形成的、独立于政治国家的私人自治领域，它本身又由两个领域构成：一是以资本主义私人占有制为基础的市场体系，它包括劳动市场、资本市场和商品市场及其控制机制；二是由私人组成的、独立于政治国家的非官方组织所构成的社会文化体系，即公共领域，它包括“教会、文化团体和学会，还包括了独立的传媒、运动和娱乐协会、辩论俱乐部、市民论坛和市民协会，此外还包括职业团体、政治党派、工会和其他组织等”[①]。前一个领域与马克思的“市民社会”概念有所重合，而后一个领域则近似于葛兰西所关注的文化和意识形态领域，两者共同组成了私人自主的生活领域，其中后者是市民社会的主要部分。哈贝马斯的这种观点实际上是在“经济基础—上层建筑”这一基本框架之中开辟了一个两者共同渗透并交互的公共领域，即“市民社会”。因此，“经济基础—上层建筑”的两分结构就演变为了“经济基础—市民社会—上层建筑”的三分结构，对“市民社会”的考察就变成了对这一公共领域的考察。哈贝马斯十分重视这一公共领域的功能，认为它所具有“公共性”和“开放性”能够汇集公众意见，通过其成员还可以实现文化导向和政治干预。

知识链接

★“国家—经济—市民社会”三分法★

黑格尔明确地将政治国家和市民社会区分开来，提出了现代意

① 哈贝马斯：《公共领域的结构转型》，曹卫东等译，学林出版社1999年版，序言第29页。

义上的市民社会概念,确立了“国家—市民社会”的二分结构。马克思批判地继承了黑格尔的市民社会理论,在强调从政治国家和市民社会的相互关系角度来把握市民社会发展演变规律的同时,也肯定了黑格尔将市民社会和政治国家相分离的政治意义。

而葛兰西和哈贝马斯所发展的市民社会理论则打破了沿袭自黑格尔和马克思的“国家—市民社会”二分法。不管是葛兰西在上层建筑嵌入“市民社会”的做法,还是哈贝马斯提出的关于公共领域的理论,都是试图将“市民社会”从政治国家和经济领域的二分结构中显现出来。当代西方一些学者如柯亨、阿拉托等人则提出用“国家—经济—市民社会”的三分法来代替“国家—市民社会”的二分法。他们主张把经济领域从市民社会中分离出去,认为市民社会主要应该由社会和文化领域构成,同时强调它的社会整合功能和文化传播与再生产功能。上述观点代表着当代西方市民社会理论研究的主流,反映了20世纪以来西方市民社会理论研究重心的转移。[①]

三、《批判》对新时代中国特色社会主义实践的理论启示

《手稿》为新时代中国特色社会主义实践提供了许多建设性启示,集中体现在其市民社会理论和人民主权理论上。在新时代条件下,我们应该立足于基本国情,全方位地理解和挖掘《批判》的当代价值。

(一)市民社会理论:正确认识国家与市民社会间的关系

马克思对市民社会与国家关系以及市民社会特征的探讨包含了现代社会的一些基本问题,在新时代的语境下有着特

① 参见何增科:《市民社会概念的历史演变》,《中国社会科学》1994年第5期,第67—81页。

殊的意义。在《批判》中，马克思在对黑格尔的市民社会理论进行继承和批判的过程中重塑了国家和市民社会之间的关系，把市民社会看作是比国家更为重要和根本的领域，“家庭和市民社会仿佛是黑暗的自然基础，从这一基础上燃起国家之光”[①]，认为市民社会是国家的基础。而马克思在将研究的关注点转向市民社会之后，更是发现了“市民社会”的科学内涵，即“受到迄今为止一切历史阶段的生产力制约同时又反过来制约生产力的交往形式”，并认为“这个市民社会是全部历史的真正发源地和舞台”[②]，这些论断和认识对于新时代中国的市场经济建设和社会治理具有重要的实践意义。

市民社会理论对于新时代中国最重要的现实意义在于坚定不移地发展社会主义市场经济。马克思虽然对黑格尔的市民社会理论进行了批判，但是也承认了市民社会与国家的分离是现代社会发展的重大进步，其重要意义之一在于市民社会作为一种“需要的体系”，成了处于同一共同体中的人们表达自身需要的中介。历史已经证明了，强大的经济基础是一个国家的生命力所在，中国改革开放以来取得巨大成就，从市民社会的角度来看，正是由于承认了人的需要的合理性，通过发展中国特色社会主义的市场经济，以强大的经济基础满足人们的物质需要，充分调动了社会积极性。与此同时，马克思对黑格尔国家与市民社会关系的“颠倒”以及后来对“市民社会”科学内涵的阐释，更进一步说明了经济发展对整个社会发展的决定性作用。进入新时代，我国的社会主义市场经济建

①《马克思恩格斯全集》第3卷，人民出版社2002年版，第9页。
②《马克思恩格斯文集》第1卷，人民出版社2009年版，第540页。

设面临着环境恶化与资源压力增加，城乡发展差距加大、经济增速放缓等新情况新问题，但经济建设的中心地位始终不能动摇。推进国家建设与治理现代化需要发达的生产力和有力的物质条件来支撑，正如习近平总书记指出的：“**发展是基础，经济不发展，一切都无从谈起。**”[①]只有发展出强大的社会主义市场经济，发展和活跃当代中国的“市民社会”，才能为建设社会主义现代化国家打下坚实的基础。

市民社会理论对于新时代中国社会治理的重要意义在于充分发挥社会组织的作用，实现政府与社会间的良性互动。黑格尔在其市民社会理论中也曾讲到了同业公会和地方自治体的概念，它们是市民社会的重要组成部分，也是市民社会与国家之间沟通的中介，在市民社会与国家之间互动的过程中发挥着重要作用。在我国，社会组织主要是由群众自发的社会团体、民办非企业单位和社区管理型组织等组成，已经形成了一股具有重要影响力的群体性力量。合理发挥社会组织的作用，可以与政府之间形成合力，增强政府提供公共服务的综合能力，进而促进市民社会的活跃，实现市民社会与国家之间的良性发展。尤其是在新时代，随着我国全面改革步入深水区和经济新常态的到来，在坚持新发展理念、构建新发展格局下，更加需要人民群众提高自我管理和自我服务的水平，在减少政府的公共服务压力的同时，更能通过社会组织提高公共服务的质量和效能。

---

①《习近平谈治国理政》第二卷，外文出版社2017年版，第75页。

（二）人民主权理论：牢固树立以人民为中心的价值取向

在《批判》中，马克思通过批判黑格尔的王权理论、行政权理论和立法权理论，表达了深刻的人民主权思想。首先，马克思批判了黑格尔把国家看作是观念的自为运动的做法，认为国家是在家庭的成员和市民社会的成员努力下产生的，人民的能动性、主体性是国家产生的根本动力。他强调说："家庭和市民社会使自身成为国家。它们是动力。"①其次，马克思反对黑格尔将国家的本质看作是君主和抽象的个人，而认为国家的本质是现实的人。他批判黑格尔："现实的人——而且是人们组成国家——到处都重复表现为国家的本质，这一点黑格尔本不应该感到奇怪。"②最后，马克思认为"主权在民"，反对黑格尔的"主权在君"思想，他说："一惟有作为许多的一才无条件地具有真理性。谓语即本质，任何时候都不能用一个一，而是只能用许多的一来详尽无遗地说明自己的存在的各个领域。"③马克思的这些论述表达了一种人民主权理论，这对新时代中国推进中国特色社会主义政治民主化进程、树立以人民为中心的价值取向具有重大的启示意义。

人民主权理论对于新时代推进政治民主化进程具有重要的实践意义。根据马克思在《批判》中的论述，现实的个人是国家的本质。因此，想要加快推进当代中国的政治民主化进程，必须以作为国家主体的人民为立足点，不断提高公民的政治参与水平，拓宽人民充分行使民主权利的渠道、途径以及方

①《马克思恩格斯全集》第3卷，人民出版社2002年版，第11页。
②《马克思恩格斯全集》第3卷，人民出版社2002年版，第35页。
③《马克思恩格斯全集》第3卷，人民出版社2002年版，第36页。

式，尤其是保障民主的真实性和现实性。一方面，在新时代必须继续不断地推动人民代表大会制度与时俱进、完善发展，坚持党的领导的同时，充分发挥地方主动性和积极性，通过人民代表大会制度牢牢把国家和民族前途命运掌握在人民手中；另一方面，在新时代要不断发展和完善政治协商制度，扩大协商民主的内容、形式、范围，不断推进完善政协履行工作的制度，丰富协商形式，健全协商规则，在协商过程中充分保障人民参与国家和社会事务治理的权利，切实维护公民的合法权益，有效回应民众诉求。

人民主权理论对于党在新时代树立和坚持以人民为中心的价值取向具有重要的启示意义。中国共产党是马克思主义政党，马克思主义的人民主权理论决定了国家的一切权力属于人民。进入新时代，在百年未有之大变局下，中国共产党面临的任务十分艰巨，有许多新挑战、新要求。决胜全面建成小康社会、实现中华民族伟大复兴是中国共产党不忘初心、承继使命的历史重任。与此同时，执政考验、改革开放考验、市场经济考验、外部环境考验依然长期存在，更需要我们以马克思主义的人民主权理论增强党的执政能力，牢固树立起以人民为中心的价值取向。习近平总书记在十九大报告中指出："坚持以人民为中心。人民是历史的创造者，是决定党和国家前途命运的根本力量。必须坚持人民主体地位，坚持立党为公、执政为民，践行全心全意为人民服务的根本宗旨，把党的群众路线贯彻到治国理政全部活动之中，把人民对美好生活的向往作为奋斗目标，依靠人民创造历史伟业。”[①]在新时代的长征路上，只有把人民的利益放在至高无上的地位，不断把为人民造福的事业向前推进、把人民对于美好生活的向往作为我们始终如一的奋斗目标，才能真正带领人民实现中华民族伟大复兴的中国梦。

延伸阅读

（1）《关于哲学改造的临时纲要》，《费尔巴哈哲学著作选集》（上卷），荣震华、李金山等译，商务印书馆1984年版。

（2）韩立新：《从国家到市民社会：马克思思想的重要转变》，《河北学刊》2009年第1期。

（3）仰海峰：《〈黑格尔法哲学批判〉：青年马克思与黑格尔关系的再思考》，《山东社会科学》2012年第4期。

深度思考

（1）“市民社会决定国家”与“经济基础决定上层建筑”的联系与区别何在？

（2）当代中国的市民社会处于什么样的发展态势？

---

① 习近平：《决胜全面建成小康社会 夺取新时代中国特色社会主义伟大胜利——在中国共产党第十九次全国代表大会上的报告》，人民出版社2017年版，第21页。

后　记

2020年1月8日，习近平总书记在“不忘初心、牢记使命”主题教育总结大会上指出，“科学理论是我们推动工作、解决问题的‘金钥匙’，越学越觉得有信心，越学越觉得有力量”。马克思主义政党的先进性不是随着时间推移而自然保持下去的，理论创新每前进一步，理论武装就要跟进一步。而学深、悟透马克思主义基本原理的首要途径就是认真读原著原文。恩格斯在《资本论》第三卷的序言中指出，“一个人如果想研究科学问题，首先要学会按照作者写作的原样去阅读自己要加以利用的著作，并且首先不要读出原著中没有的东西”。阅读马克思、恩格斯的经典原著，阅读《黑格尔法哲学批判》也应如此，且由于《批判》本身的未完成性、思想的过渡性、批判的原创性，在阅读时更应注重对原文原义的解读。

本册在注重文本研究的同时，亦采用了历史与逻辑、理论与现实相结合的写作方式，系统地分析了这部伟大著作的诞生、梗概、主题和意义。《黑格尔法哲学批判》是马克思离开黑格尔哲学、在社会和政治领域初步运用唯物主义思想、开始发现历史唯物主义的第一部重要著作，对广大读者理解马克思思想的发展具有重大意义和价值，本册的编写亦希望对广大马克思主义研究者深入理解《批判》有所帮助。同时也要感谢我的四位“马克思主义基本原理”方向研究生李家祥、金梦佳、马睿程、贾偲祺为本册内容编写所付出的努力。

敬请各位读者和专家批评指正。

张彦

2021年5月于求是园